Burlingame Public Library
W9-CTV-856

SOLO UN DESEO

Nikki Loftin

Solo un deseo

Traducción de Núria Martí

PUCK

Argentina – Chile – Colombia – España
Estados Unidos – México – Perú – Uruguay – Venezuela

Título original: *Wish Girl*
Editor original: Razor Bill, a division of Penguin Young Readers Group
Published by the Penguin Group (USA) LC, New York
Traducción: Núria Martí Pérez

1.ª edición Mayo 2015

Esta es una obra de ficción. Todos los personajes, organizaciones, empresas y acontecimientos presentados en la novela son producto de la imaginación de la autora.

Aribau, 142, pral. – 08036 Barcelona
www.mundopuck.com

ISBN: 9978-84-96886-43-8
E-SBN: 978-84-9944-849-7
Depósito legal: B-8.158-2015

Fotocomposición: Moelmo, S.C.P.
Impreso por: Rodesa, S.A. – Polígono Industrial San Miguel
Parcelas E7-E8 – 31132 Villatuerta (Navarra)

Impreso en España – *Printed in Spain*

Para mamá

Si pudiéramos ver y sentir
plenamente la vida humana cotidiana,
sería como oír crecer la hierba
y los latidos del corazón de una ardilla,
y nos moriríamos por el rugido
que existe al otro lado del silencio.

George Eliot

Capítulo 1

El verano antes de cumplir los trece años contuve la respiración tanto tiempo que estuve a punto de morir.

Siempre había sido un chico silencioso. Hacía mucho que practicaba contener el aliento y hasta mis propios pensamientos. Era lo único que sabía hacer mejor que nadie, pero supongo que ese extraño comportamiento me hacía parecer un bicho raro. Me hartaba de oír a mi familia decir: «¿Qué te pasa, Peter?»

Me pasaban muchas cosas. Pero en aquel momento la más grave era la serpiente de cascabel enroscada en mis pies.

Acababa de escaparme por primera vez de casa. *Aunque posiblemente sería la última*, pensé con los ojos clavados en el suelo, parpadeando lentamente, como si al cerrar los ojos pudiera hacer que la serpiente se esfumara.

Me quedé lo más quieto posible al borde del acantilado de piedra caliza, con la punta de mis zapatillas de tenis asomándose al vacío, el corazón martilleándome en la garganta, el cuello tenso y los ojos clavados en mis zapatos. La reluciente serpiente de cascabel, de escamas marrones, negras y plateadas, enroscada en mis pies, empezó a serpentear por la punta de los cordones de mis zapatos.

Su cabeza era inequívocamente triangular y ocho cascabeles adornaban su cola marrón claro. Me dio tiempo a contarlos, porque hacía al menos quince minutos que estaba plantado al borde del acantilado intentando no mover un solo músculo.

Me notaba la boca pastosa. Tragué saliva y la serpiente, que había estado reposando en mi zapatilla deportiva izquierda, agitó la cabeza cerca de mi tobillo al descubierto, olisqueando el aire con su lengua negra.

Contuve la respiración.

Por un segundo se me pasó por la cabeza librarme de ella de un puntapié y salir corriendo para darle esquinazo, pero comprendí que estaba enroscada en mis tobillos. Si intentaba sacármela de encima, me mordería. De momento al parecer solo me estaba... olfateando. Recuerdo haber leído cuando era pequeño esta característica de las serpientes. Olían las cosas con la lengua.

Esperé que le gustara mi olor, porque también recordaba que las serpientes de cascabel cuando atacan a sus presas se pueden lanzar a una distancia que dobla el largo de su cuerpo, y a esta si se le antojaba podía llegar a morderme cerca del gaznate.

Botas. Tenía que haberme puesto las botas. O al menos unos tejanos, en lugar de los ridículos pantalones cortos de la clase de gimnasia del sexto curso.

Empecé a ver chiribitas negras. Si no dejaba de contener la respiración me iba a desmayar. Aspiré el aire con lentitud, procurando con todas mis fuerzas hacerlo imperceptiblemente para no llamar su atención más de lo que ya lo había hecho.

La serpiente, en lugar de atacarme o moverse, siguió olisqueando el aire con su lengua bífida. Y de pronto, reptando parsimoniosamente, se quedó descansando sobre mis pies.

Como si planeara echar una cabezadita.

Respiré con lentitud y naturalidad, o al menos eso intenté hacer, sin saber cuánto le duraría la siesta. Plantado al borde del abismo con la serpiente enroscada en mis tobillos, me pregunté cuándo acabaría yo cayendo al vacío o mordiéndome ella con sus afilados colmillos.

A lo mejor alguien vendría a buscarme. No había intentado esconderme ni desaparecer del mapa. Me acabarían encontrando. Si alguien subía a la colina y tomaba el mismo camino que yo, al cabo de unos veinte minutos se toparía conmigo.

En este rincón del monte no vivía ni un alma.

Estuve a punto de echarme a reír. No darían conmigo. Estaba atrapado, no podía hacer otra cosa que esperar, muerto de miedo.

Mientras intentaba con toda mi alma no balancearme para mantener el equilibrio, sentí que los hombros se me empezaban a relajar. ¿Qué más podía hacer?

No me quedaba más remedio que permanecer quieto, de lo contrario no lo contaría.

Capítulo 2

No me morí. Ni siquiera me riñeron cuando volví a casa cuatro horas más tarde. Por lo visto no se considera que te has escapado de ella cuando nadie te echa de menos.

—¿Qué has hecho hoy, Peter? —me preguntó mi padre durante la cena pasándome el puré de patatas—. No te habrás vuelto a encerrar en la habitación, ¿verdad? Ya sabes que te conviene tomar un poco de aire fresco.

Tardé un minuto en responderle. ¿Acaso podía decirle: «Papá, me he pasado la tarde atrapado al borde de un acantilado por culpa de una serpiente venenosa»? A lo mejor se sentía culpable, porque me había largado a la colina para perderle de vista. Pero de todos modos él había estado tocando la batería como si nada.

Papá había perdido el trabajo y la mayor parte del pelo el año anterior, y había decidido volver a la juventud o quitarse varios años de encima tocando la batería. Decía que estaba «poniéndose en forma» para presentarse a la audición de una banda de Austin.

Aquella tarde había intentado que me uniera a él dándome unos cencerros y unos triángulos musicales, e indicándome cabeceando cuándo debía tocarlos. Para pasar un rato conmigo.

Le dije que los sonidos que producían me daban dolor de cabeza.

Estaba mintiendo.

—¡Eres un blandengue, Peter! —exclamó decepcionado conmigo como de costumbre—. Tienes que ser más fuerte, hijo.

Me lo había dicho un millar de veces. Pero por alguna razón aquel día se me abrieron los ojos. Yo nunca sería lo bastante fuerte para él.

Me pregunté si me creería si le dijera que había sido más fuerte que una serpiente de cascabel. Pero al echarle una mirada me di cuenta de que no lo haría. Ponía esa cara de siempre de «¿por qué mi hijo es tan raro?»

—He ido a dar una vuelta, papá —decidí responderle simplemente.

—¡Oh! —exclamó mi madre despegando los ojos de la pantalla del móvil en el que había estado tecleando algo por debajo del mantel de la mesa. Probablemente intentaba entrar en Facebook, aunque en este lugar era casi imposible conectarse a la Red—. ¿Adónde has ido? ¿Has quedado con alguien?

Pensé en la serpiente y esbocé una vaga sonrisa. No creo que se estuviera refiriendo a ella.

Laura, mi hermana mayor, dejó de meterle a Carlie la cuchara en la boca —o al menos sobre la camiseta y el babero—, porque mi hermana pequeña no paraba de moverse, y dijo:

—¿Estás de guasa, mamá? ¿Cómo quieres que quede con alguien si nos habéis traído a vivir al culo del mundo? ¡Aquí no hay un alma en cincuenta kilómetros a la redonda!

—¡Laura, no seas tan negativa! —le espetó mamá—. Como bien sabes, hay dos chicos de la edad de Peter que viven solo a un kilómetro y medio de distancia. Este es un lugar estupendo para nosotros. Desde aquí llego en coche al despacho en un santiamén, apenas hay tráfico…

—Porque por aquí no hay ni un atisbo de civilización —le interrumpió Laura recostándose en la silla y metiéndose echa una furia pedazos de okra en la boca—. Aquí no hay ni un alma, mamá —protestó con la boca llena.

—Ni tampoco chicos tatuados —terció papá—. Ni fumadores de marihuana —añadió guiñándome el ojo.

Intenté no sonreír. Era el único que lo había oído, porque mamá siguió tecleando de nuevo.

—Tú eres la menos indicada para decir que no hay ningún tipo de civilización por los alrededores, Laura Elizabeth Stone —le espetó mi madre alzando las cejas—. Porque comes con los dedos. Cuando volváis al colegio en otoño, espero que os comportéis mejor...

Esta observación hizo que Laura retomara su tema favorito, quejándose de tener que ir al instituto de una zona rural en el que el mayor acontecimiento del verano era un rodeo y donde el ochenta por ciento de alumnos se dedicaban a cuidar cabras y novillos en el 4-H, un club juvenil dedicado a la agricultura y la crianza de ganado.

La vida en el campo no tenía nada que ver con la que llevábamos en nuestro piso de la ciudad de San Antonio, donde habíamos vivido durante casi once años. No hacía más que una semana que nos habíamos mudado a esta casa, pero yo ya sabía que nunca nos sentiríamos a gusto en ella, porque un caserón de madera de dos plantas y treinta años de antigüedad, revestido de vinilo de tres colores distintos y con unas ventanas tan desgastadas que incluso repiqueteaban al levantarse el más ligero vientecillo, no tenía nada de acogedor.

Detestaba esta casa. Creo que todos lo hacíamos. Pero no nos quedaba más remedio que vivir en ella. Nuestro antiguo casero nos había dicho que la batería y las guitarras de mi padre estaban volviendo locos a los otros inquilinos. «¡Los está sacando de quicio!», nos soltó quejoso el día que nos anunció que no nos renovaría el contrato del alquiler.

Y con razón. El ruido que armaba mi familia era alucinante. La tele estaba todo el día encendida, con el volumen lo bastante alto como para amortiguar los constantes berrinches y lloros de Carlie. Mi madre se pasaba todo el tiempo hablando por teléfono o charlando con las niñas o conmigo. Y cuando creía que no la estábamos escuchando —lo cual era casi siempre—, hablaba en un tono de voz más alto aún.

Como ahora, que se estaba peleando con Laura. Me sentía como si me estuvieran estrujando la cabeza con un torniquete. Carlie se puso a escupir la comida en la bandeja y luego se echó a llorar. Me quedé jugueteando con el pastel de carne que mi madre me había servido mientras pensaba en el valle que había descubierto ese día. El lugar donde me había topado con la serpiente.

No quedaba demasiado lejos, justo al otro lado de los campos cubiertos de maleza, cactus y de unos pocos árboles esmirriados y matojos con más espinas que hojas. Más allá de la cima de la colina que se alzaba detrás, tras pasar la valla de madera hecha de travesaños de ferrocarril clavados en diagonal el uno sobre el otro como piezas gigantescas de Lego, y el angosto camino de asfalto que la hierba y las flores silvestres habían empezado a invadir por ambos bordes.

Lo bastante lejos para no oír los lloros, los gritos o el ruido de la batería de papá.

Me había dado la sensación de estar soñando. Era la primera vez desde hacía años que no oía el ruido de los coches o los trenes, del televisor o de los videojuegos, ni de la gente. No se veía un solo tejado recortado en el horizonte o ni siquiera un avión en el cielo.

Había estado prácticamente solo por primera vez en toda mi vida. La sensación me gustó.

No solo me gustó, sino que me encantó. En medio de aquel solitario paraje los latidos de mi corazón eran tan audibles como cualquier otra cosa del mundo.

Carlie se puso de pronto a chillar. Ahora en cambio lo único que oía era la cabeza martilleándome y los pies de mi hermana pequeña aporreando las patas de la mesa.

—¿Por qué no podemos irnos a vivir al menos a una casa mejor, a una con banda ancha? —preguntó Laura enojada—. Aquí es como vivir en Marte.

—Tienes razón —asintió papá con la boca llena de ensalada—. Lo de internet es una lata. Tal vez podríamos llamar a la compañía telefónica para que nos lo instalara…

—¿Es que has olvidado que solo entra un sueldo en esta casa? —le soltó mamá hablando entre dientes—. El mío.

Papá alzó la barbilla en mi dirección, como si se supusiera que yo fuera a decir algo.

Yo sabía que lo mejor era no abrir la boca.

Pero él no.

—Y tú dale que dale me lo vas a estar echando en cara a todas horas —le recriminó él poniendo los ojos en blanco.

Me quedé callado. Y Laura también. Hasta Carlie dejó de patalear. De pronto el mundo estalló en el fragor de una acalorada disputa mientras mamá y papá se insultaban y se lanzaban reproches hablando lo más rápido posible, como si cada uno estuviera intentando vencer alguna pelea invisible por la comida.

Y tanto les daba que alguien saliera herido en ella, fuera quien fuera.

—Elegiste este lugar sin ni siquiera consultármelo, Maxine —gritó papá—. Que no tenga trabajo no significa que no forme parte de la familia. —Su siguiente frase fue como una bala—. Al menos por el momento.

Carlie se puso a berrear a pleno pulmón, y Laura la tomó en brazos tarareándole una nana para distraerla, pero sin despegar los ojos de mamá y de papá. Parecía tan asustada como yo.

¿Se había acabado todo? ¿Iban a separarse?

Mis padres siempre se peleaban un poco, sobre todo en su habitación por la noche, cuando creían que ya dormíamos. Pero la misma semana en que despidieron a papá —de eso hacía ya once meses—, a mamá la ascendieron a subdirectora en el banco donde trabajaba, y a partir de entonces las broncas empezaron a empeorar.

—No podíamos seguir viviendo en la ciudad, Joshua —le dijo ella en voz baja—. Y sabes perfectamente por qué —sentí los ojos de mi madre clavados en mí, y también los de mi padre.

Quizá nos habían desalojado por culpa de papá. Pero sabía que yo era el culpable de que hubiéramos venido a vivir aquí, lejos de la ciudad que a todos nos encantaba. Laura se aseguraba de recordármelo a diario.

Al notar sus miradas clavadas en mí me empezó a arder la piel.

—Disculpadme —susurré, aunque lo dije con la voz tan agarrotada que nadie me oyó.

Sentía que la cabeza me iba a estallar en cualquier momento, como si algo se estuviera partiendo tras mi ojo derecho. Como si me estrujaran los sesos.

Me quedé tan silencioso como lo había estado aquella tarde y deseé hallarme de nuevo al borde del acantilado con el valle extendiéndose a mis pies.

Y de repente me encontré en él, en mi mente.

La carne se me puso de gallina. Como si algo invisible, misterioso e inmenso me estuviera observando. Como si el valle estuviera esperando ver qué era lo que yo haría. Me quedé quieto durante más tiempo de lo que jamás me había quedado, preguntándome que esperaba que hiciera.

Y entonces el valle aspiró una bocanada de aire.

El viento se levantó sobre la hondonada, agitando los árboles y los arbustos como si la tierra fuera un gato gigantesco al que estuvieran acariciando. Se movía cada vez más deprisa, era casi como si estuviera ahí, rodeándome.

¿Me derribaría el viento?

El aire cálido se arremolinó a mi alrededor y el murmullo de las hojas parecía unos excitados susurros a mis oídos. Eran casi como... ¿siseos?

Sonreí, recordando el cascabeleo. Me había quedado tan quieto cuando la serpiente había reptado por mis pies que probablemente me había tomado por un árbol o una roca, creyendo que formaba parte del paisaje.

Permanecí quieto durante horas, con la serpiente enroscada en mis tobillos y sintiendo un nudo en la garganta a causa del miedo. La brisa volvió a alzarse, haciendo ondear mechones de mi pelo por detrás de los oídos. Me recordó cuando mi abuela vivía y me apartaba el cabello de la cara con un ademán muy suave.

El mundo cobró vida a mi alrededor, como una orquesta afinando los instrumentos. A mi derecha un pájaro se puso a gorjear con un canto variado y melodioso. Seguramente un sinsonte. Los saltamontes y las ranas se unieron a él. Algo de mayor tamaño se movió un poco más lejos, porque oí el ruido seco de piedras entrechocando y rodando por la ladera.

Noté los cálidos rayos del sol sobre mi cara y vi las sombras de las nubes deslizándose por el cielo incluso con los ojos cerrados, mientras la luz roja que se colaba por mis párpados se volvía negra, y luego cobraba de nuevo un color rojizo.

Alguien —algo— me estaba observando. Sentí un escalofrío subiéndome por el espinazo y se me puso carne de gallina en los brazos. Era la misma sensación que sentía cuando mi profesora se inclinaba sobre mi pupitre para susurrarme que había hecho un buen trabajo con una voz tan queda que solo yo la podía oír.

De pronto algo más me hizo estremecer. La serpiente se estaba moviendo.

Abrí los ojos y esperé mientras se desenroscaba de mis tobillos para deslizarse por el suelo rocoso, dirigiéndose a los matojos. Y de repente, sacudiendo ligeramente los cascabeles de un coletazo, se metió bajo una mata como si nunca hubiera estado enroscada en mis piernas.

Respiré aliviado y me di la vuelta para regresar a casa, con los pies entumecidos por haber estado quieto en el mismo sitio durante tanto tiempo. Por un momento sentí el irreprimible deseo de ponerme a gritar, vociferar y chillar con todas mis fuerzas. Pero antes de que me diera tiempo a hacerlo un halcón apareció de repente en el cielo, planeando y graznando sobre mi cabeza como si me estuviera saludando o felicitando por mi hazaña.

Le saludé con la mano, preguntándome por qué sus graznidos a modo de respuesta sonaban como risas. Por qué el vientecillo que se había alzado de repente me parecía unas manos dándome palmaditas en el hombro. Fingiendo que me iba a arrojar al suelo como hacía mi abuelo cuando nos sentábamos en el porche de su casa en Houston, los dos solos, y él me contaba chistes verdes mientras yo me aguantaba la risa para que mamá y papá no salieran y le obligaran a cambiar de tema al oírle.

De súbito el cascabeleo de la serpiente sonó como uno de los chistes verdes de mi abuelo. Peligroso, divertido y privado. Pero nadie iba a creerme si contaba lo que me estaba pasando.

—¿Holaaaa?

El valle desapareció de repente y parpadeé. Laura estaba agitando la mano delante de mi cara. No sé si llevaba mucho haciéndolo ni cuánto tiempo hacía que me había quedado con los ojos clavados en mi plato.

Debió de ser un buen rato porque mi hermana parecía estar muy preocupada.

—¿Qué te pasa, Peter? —me preguntó con voz temblorosa.

Capítulo 3

—¿Peter? —repitió Laura en un tono más alto con la mano posada en mi hombro. ¿Cuánto tiempo hacía que ella me estaba tocando? Ni siquiera me había dado cuenta. Había estado ensimismado en mis pensamientos—. ¿Estás teniendo un ataque o algo parecido?

Mamá y papá seguían enzarzados en su pelea, hablando en enojados susurros. Pero como estaban plantados junto a la puerta me llegaron algunas palabras: «¿... facturas del psiquiatra o de las compras? Debes intentarlo con más energía. Necesita recibir más ayuda. Todavía no es el de antes».

Estaban hablando de mí. Sentí la sangre agolparse en mi cara y me sacudí de encima la mano de Laura.

—No, no me pasa nada. Solo estaba soñando despierto. ¡Déjame en paz! —le solté mirándome el brazo. Me lo había manchado sin querer con la papilla de Carlie—. ¡Qué asco, Laura! —le espeté.

—Muy bien. Sigue comportándote así, bicho raro —respondió ella y tras sacarse el móvil del bolsillo, lo agitó por encima de su cabeza para ver dónde había cobertura, ignorándonos a todos.

Me aclaré la garganta.

—Mamá, ¿me disculpáis? ¿Mamá? ¿Mamá?

No creí que mi hermana pequeña me hubiera oído, pero de pronto Carlie gritó su versión de mi nombre a voz en cuello.

—¡Peep!

Mamá volvió la cabeza.

—¿Necesitas algo, Peter?

—Me duele la cabeza —le dije—. ¿Me puedo ir?

Mamá se preocupó por mí un minuto, intentando convencerme para que me tomara un Tylenol, y al ver que no lo conseguiría me embutió una galleta de chocolate en la mano como si fuera alguna clase de receta secreta para calmar el dolor.

—Ven a ver una película con nosotros esta noche —me propuso mientras retiraba mi plato de la mesa—. El fin de semana vamos a hacer una maratón de películas de *A todo gas* para celebrar que casi ya está desempacado todo lo de la mudanza.

—No, gracias. Prefiero irme a mi habitación. —Mi madre se mordió el labio inferior al oír mi respuesta, estaba intentando contenerse—. Es para leer, mamá. No te preocupes.

No le estaba mintiendo. Planeaba volver a leer sobre serpientes. Me vendría bien.

Me levanté de la mesa y, cuando estaba a punto de entrar en mi habitación, me acordé de que los libros sobre temas de la naturaleza estaban en la sala de estar.

—¿Qué le pasa a Peter? —oí a Laura decir en voz baja mientras me dirigía al salón—. ¿Te has dado cuenta de que se ha quedado mirando al vacío como un monigote? No tendríamos que habernos mudado. Está peor que nunca. Dime la verdad. ¿Se le han reblandecido los sesos o algo parecido? ¿Se te cayó de los brazos y se dio un golpe en la cabeza de bebé?

—¡Laura Stone! —le soltó mi madre con dureza, aunque en susurros—. Tu hermano está perfectamente. Lo que pasa es que... es diferente. Introvertido. Y ya sabes lo que le ocurrió la primavera pasada. Nos hemos tenido que mudar por varias razones. Deja de quejarte por ello. Y recuerda que debes tener una actitud positiva ante él.

—Si tú lo dices, mamá —respondió Laura—. Pero que conste que lo he intentado y no funciona. Desde que hemos venido a vivir a este lugar Peter está más raro que nunca. Y no es bueno para… lo que sea que tenga que esté todo el día solo.

—Tal vez tengas razón —terció papá—. Aunque, como siempre ha sido tan callado, es difícil saber lo que está pensando o sintiendo. Pero puede que se sienta más deprimido desde que nos mudamos. Me preguntaba si…

Regresé a mi habitación sigilosamente sin el libro sobre serpientes, con la cara ardiéndome. No quería seguir escuchando lo que papá iba a decir.

De todos modos yo no iba a hacer nada al respecto. No pensaba ir corriendo para defenderme. Enfrentarme a ellos —o a cualquier otra persona— siempre me había asustado más que huir. Laura me lo había dicho cientos de veces y tenía razón. Era un miedica. Un blandengue. Una vergüenza para mi familia.

Todos creían que no estaba bien de la cabeza. En más de una ocasión había oído a mamá decirle a papá que «yo había nacido en la familia equivocada». Incluso sabía lo que esto significaba: no encajaba con ellos, salvo quizá con Carlie. Cuando ella dormía, claro.

Aunque no por ello me dolía menos la situación.

Capítulo 4

Me escapé de nuevo de casa en cuanto despuntó el sol en el horizonte. Esta vez dejé una nota sobre la cama por si acaso a mamá o papá se les ocurría entrar en mi habitación para ver cómo me encontraba, y me metí en la mochila un par de barritas de granola y una botella de agua.

—¿Peep? —me llamó Carlie mientras cruzaba la sala de estar corriendo para largarme.

Mi hermana pequeña estaba en su parque mirando la tele y supuse que mamá, tras levantarse, se habría vuelto a acostar. Después de todo, era sábado.

Carlie se había sacado el pañal y lo estaba reduciendo a pedacitos. Me detuve un segundo para recogerlos y tirarlos a la basura, y luego le puse otro limpio.

—No lo rompas esta vez, Carlie —le susurré—, porque si no lo ensuciarás todo.

Ella se pegó el dedo a los labios para que me callara y asintió con la cabeza.

—¿Peep? —dijo de nuevo alzando los brazos. Quería venir conmigo.

—Hoy no puede ser, Carbar —repuse juntando las manos y siseando—. Hay serpientes por todos lados. A montones y son muy gordas —añadí abriendo y cerrando las manos como si fueran mandíbulas de serpientes, y mi hermanita se echó a reír a carcajadas. Estuve a punto de quedarme con ella jugando, pero al oír el chirrido de una puerta abrirse al otro extremo de la casa, vi que si no me iba tendría que hacer de canguro y limpiar la casa el día entero. La rutina de los sábados.

—Adiós —le dije agitando la mano y me fui caminando sigilosamente por la alfombra.

La noche anterior había estado buscando mis botas viejas, las que papá me había comprado hacía un año y medio para usarlas en el fracasado experimento de tres semanas de duración con los Boy Scouts. Las encontré en una de las cajas de la mudanza que quedaban por abrir, en el vestíbulo, escondidas detrás del columpio de Carlie. Me las puse al salir de casa. Me iban un poco pequeñas, pero me daba igual. Esperaba que fueran a prueba de serpientes.

Caminé con más brío que el día anterior, ahora sabía a dónde me dirigía. O al menos mi punto de partida.

Esta vez no vi a la serpiente por más que miré en la mata bajo la que me pareció que se había escondido. Por un segundo me pregunté si me la habría imaginado.

No. La serpiente había sido más real que cualquier otra cosa de mi vida, que los videojuegos, los programas de televisión, los libros de historietas y las tareas que me ponían.

Me planté de nuevo al borde del acantilado y examiné el valle. No me produjo la extraña sensación del día anterior. Esta vez no me sentí observado.

Pero algo me estaba llamando. En medio de la ladera, donde otra colina se alzaba frente a mí, una hilera de árboles que iban aumentando a lo lejos, cubiertos de hojas verdes y relucientes, se agitaban con el aire matutino. Bajé por la ladera, resbalando con mis botas sobre la piedra caliza suelta. Por suerte las tupidas matas de hierba me impedían patinar demasiado lejos.

Era una locura bajar por un lugar tan empinado, pero me daba igual. Sentí el viento abofeteándome la cara mientras lo hacía, prometiéndome sostenerme para que no cayera rodando cuesta abajo.

El bosque de robles estaba más lejos de lo que había creído y me quedé sin aliento. Bajé el ritmo y empecé a caminar intentando no hacer ruido. Tal vez había ciervos escondidos tras los árboles y si me movía con sigilo quizá viera uno.

Pero cuando por fin aparté varios pequeños matojos para internarme en el robledal, yo era el único haciendo ruido en toda la ladera.

Por más que lo intentaba, no dejaba de hacerlo. A cada paso que daba con mis pesadas botas, las vainas y las bellotas partiéndose sonaban en aquel silencioso bosque como un puñado de petardos. La alfombra de hojas otoñales crujía y chasqueaba bajo mis pies, e incluso mi respiración parecía de lo más ruidosa y poco natural.

Si seguía haciendo tanto ruido, nunca más volvería a ver un ciervo, otra serpiente ni cualquier otro animal. Me detuve, y al mirar a mi alrededor vi una gran roca sobresaliendo de un montón de hojas secas. No solo había una, sino una pila de ellas. Al acercarme descubrí que me estaba dirigiendo al punto de unión de las dos colinas.

Cuando llegué allí, contemplé el pie de la ladera. Las rocas, vetustas y erosionadas, estaban cubiertas de algas secas y musgo. Pero debajo había pedazos húmedos de tierra. ¿Y si seguía avanzando sobre las piedras? ¿Encontraría un riachuelo? ¿Una laguna? Yo sabía que cerca del agua siempre hay animales.

Me saqué las botas para no hacer ruido y las metí en la mochila, con mis barritas de granola. Y luego descendí poco a poco por las rocas, sigilosamente, intentando hacer el menor ruido posible.

Al cabo de un minuto más o menos me detuve. A mis pies, a varios metros de distancia, apareció una laguna. Un ciervo estaba plantado ante ella con la cabeza agachada. Probablemente era una hembra, porque no tenía astas como los machos que había visto en el zoo. De repente dio un brinco como si algo le hubiera asustado y se alejó nerviosamente de la orilla. Contuve la respiración, preguntándome si me habría oído. Olfateó el aire. ¿Quizá me había olido?

Caminando con tanta cautela como yo, se alejó de la ribera alzando con sigilo una pata y luego la otra hasta desaparecer entre los árboles y volver a la ladera. Empecé a avanzar de nuevo, lleno de curiosidad por ver qué era lo que había en la laguna. ¿Qué habría asustado a la cierva?

Pero al llegar a la roca desde la que había estado bebiendo y observar yo el agua, no vi nada. La laguna era preciosa, con rocas sobresaliendo en uno de los bordes y una pequeña gruta formada por una oquedad. La laguna no debía de medir más de tres metros de diámetro, aunque en el centro parecía tener un metro y medio de profundidad. El agua era cristalina y cuando los rayos del sol se colaron por entre el follaje de los robles que se alzaban sobre ella, se puso a cabrillear. Me senté en la roca, contemplando el agua con las piernas cruzadas y las manos juntas, como si me hubiera hipnotizado. Al cabo de un rato cerré los ojos. La noche anterior no había dormido bien, había estado soñando con serpientes y valles que cobraban vida.

Tal vez me quedé adormilado, no estoy seguro, pero de pronto algo me despertó. ¿Un sonido? Era un zumbido. Me quedé quieto, sintiendo algo como unas patitas haciéndome cosquillas por entre el vello de mis brazos. ¿Los tenía cubiertos de hormigas? ¿De abejas? Abrí los ojos, asegurándome de mover solo los párpados al acordarme de la serpiente.

Tenía los brazos llenos de libélulas. A decir verdad, no eran exactamente libélulas, sino unos bichitos más pequeños que se les parecían mucho. Eran de vivos colores, rojos, azules y negro azabache, con unas alas finas y gráciles y un cuerpo alargado y segmentado. Debí de parecerles una buena percha, porque en cada brazo tenía por lo menos veinte.

Les gustaba. Lo notaba por la forma en que se movían, bailando sobre mi piel. Y al valle también. Era por la misma razón por la que le incomodaba a mi familia.

Porque era un chico tranquilo y callado.

Por fin había encontrado el lugar donde podía estar solo. Donde podía ser yo mismo. Era perfecto.

Aquí siempre estaré silencioso, le dije al valle hablando para mis adentros. *Te lo prometo. Nunca chillaré, ni gritaré ni te estropearé el día armando barullo.*

Algo me hizo cosquillas en el pelo a modo de respuesta y me di cuenta de que también lo tenía cubierto de libélulas. Sentí que estaba a punto de echarme a reír y me contuve para no hacerlo. Si hacía ruido o me movía, todas saldrían volando.

Pero no pude aguantar el cosquilleo en la punta de una oreja y dejé escapar un pequeño sonido, un medio suspiro.

Todas echaron a volar casi rozando la superficie del agua de la laguna. Y entonces me eché a reír.

—¡Maldición! —masculló alguien.

Capítulo 5

Me levanté de un brinco y las crías de libélula, o lo que fueran, se alejaron del agua volando en espiral, abandonándome. Giré la cabeza, preguntándome de dónde había salido la voz. ¿Era de una persona invisible? Me habían pasado tantas cosas raras en ese valle que seguramente podía ocurrir lo más inusitado en él.

De súbito algo se movió y la vi. Sentada al otro lado de la laguna, medio oculta por unas matas, había una chica con un gorro de lana marrón en la cabeza. ¿Cómo era posible que no la hubiera visto?

Dije estas palabras en voz alta.

—Me mimetizo con el lugar —respondió ella saliendo de las matas. Sostenía algo en la mano. Era un bloc de dibujo y un carboncillo, uno de los caros, me dije. Como los que la profesora de arte usaba en el colegio y que no nos dejaba tocar nunca a los alumnos para que «no se los estropeáramos».

La chica parecía ser de mi edad, pero era un poco más baja que yo, y eso que pese a estar a punto de cumplir los trece yo no era demasiado alto que digamos. Como iba vestida con ropa verde y marrón, y el tono oscuro de su piel solo era un poco más claro que el del tronco de los árboles, se confundía con la vegetación. Hasta que se movió.

—¿Quién eres? —me preguntó.

Los insectos que nos rodeaban habían enmudecido.

—Soy Peter —respondí.

De pronto sentí una oleada de calor en mi interior. Reconocí la sensación, era de enojo.

—Peter Stone —repetí, intentando no perder la calma. Nunca mostraba mis sentimientos, si es que lograba controlarme.

Aunque me moría de ganas de escupir. Noté un sabor amargo en mi boca. Como si la tuviera llena de bilis por la rabia que sentía.

¡Y no me extrañaba! Ahora que por fin había encontrado un lugar para estar solo y en silencio, esta chica había aparecido en él. Tal vez incluso vivía cerca del lugar. Llenaría el valle de bullicio y parloteo. Me volví de nuevo hacia el agua, esperando que se largara con viento fresco.

—Muy apropiado —dijo, y luego volvió a sentarse con las piernas cruzadas y empezó a dibujar. No dijo una palabra más.

¿Apropiado? ¿Qué quería decir? El cosquilleo de la curiosidad era más fuerte que el de las crías de libélula revoloteando sobre mi piel. Pero no iba a preguntárselo. Si me quedaba callado, ella se acabaría yendo. Esta táctica siempre me había funcionado en el colegio, en el recreo e incluso en casa. Si me quedaba en silencio, la gente se aburría y me dejaba en paz.

Bueno, al menos la mayoría de las veces. Me estremecí al recordar la ocasión en que la táctica me había fallado. Al recordar lo que hizo que mis padres decidieran que nos mudáramos tan lejos de nuestro antiguo hogar. Que mi padre me mirara cada día como si se avergonzara de mí.

Me sacudí de encima los oscuros pensamientos y me concentré en la chica. ¿Qué estaba dibujando? ¿Y por qué había dicho *apropiado*? Creía saber lo que significaba.

Adecuado.

No pude aguantarme más. Se lo tenía que preguntar.

—¿A qué te refieres?

Ella alzó la vista, sus ojos marrones eran más profundos que la laguna que había entre nosotros. Arrugando el ceño contempló su cuaderno de dibujo y luego me miró.

—A tu nombre. Peter Stone. También es un poco repetitivo.* ¿En qué estarían pensando tus padres cuando te lo pusieron?

Ahora esta chica me estaba empezando a irritar de verdad. ¿Por qué creía que mi nombre era adecuado y repetitivo? Me puse en pie.

—¡No te levantes! —exclamó—. Ya casi he terminado.

—¿Terminado el qué?

—No te muevas aún —dijo indicándome con la mano que me volviera a sentar—. Ya casi estás. Pero no he podido dibujar todos los caballitos del diablo… —su voz se apagó y me la quedé mirando.

¿Caballitos del diablo? ¡Oh!, de modo que así era cómo se llamaban esas pequeñas libélulas. Entonces lo entendí. Las había estado dibujando, al igual que a mí. Volví a sentarme, sintiéndome raro. Nadie me había dibujado antes. No era un chico interesante. Tenía un pelo castaño del montón, ojos marrones y una estatura mediana. Nada especial. A decir verdad le resultaba invisible a casi todo el mundo.

Pero ella en cambio era la clase de chica que la gente suele dibujar. Mientras seguía dibujando me recordó a los caballitos del diablo: sus brazos eran delgados y gráciles. Las pestañas le revoloteaban como las alas de encaje de las libélulas. Se parecía un poco a un hada, aunque la expresión de su cara era de pura irritación humana.

—¿Qué pasa? —dije preguntándome si me volvería a responder con una sola palabra.

—Tu cara no me acaba de salir, porque te estás moviendo, Chico Piedra.

* Peter, de *Petrus*, significa "piedra" como Stone. *(N. de la T.)*

—¿Chico Piedra?

—Pues sí —asintió cerrando de golpe el bloc de dibujo y caminando de puntillas alrededor del círculo de piedras para ir adonde yo estaba. Iba descalza como yo—. Peter significa piedra. O roca. Y por un momento creí que eras una. Me gustaría saber cómo lo haces... No he visto a nadie que haga eso.

—¿Hacer el qué?

Nunca una persona me había confundido tanto en toda mi vida. Aunque ella hablara mi mismo idioma, no entendía la mitad de lo que me decía.

—Quedarte tan quieto —observó alzando mi mano en el aire como si me hiciera posar—. ¿Lo ves? Ni siquiera tiemblas. Es increíble. Con este pulso tan firme podrías ser cirujano.

De pronto una sombra se proyectó en su cara y alcé la vista al cielo. ¿Se estaba nublando el día? Oí el hojear de páginas y volví a mirarla. Me estaba mostrando sus dibujos.

Lancé una exclamación de sorpresa. Era...

—Asombroso —exclamé haciéndome eco de mis pensamientos—. Eres una auténtica artista.

Y en verdad lo era, había dibujado las rocas, los caballitos del diablo y a mí con una pasmosa exactitud. Ninguna de las partes era demasiado grande o demasiado pequeña. Había sombreado el contorno de las imágenes con el carboncillo para representar las sombras de las hojas del roble en los lugares correctos. Hasta los dedos de mis manos eran perfectos. Ni siquiera a la profesora de arte de mi antiguo colegio le salían tan bien.

—Gracias —dijo ella examinando el dibujo—. Creo que he captado tu cara. Los rostros no son fáciles de dibujar. Pero al quedarte quieto como una estatua me ha resultado más fácil de lo habitual. A decir verdad los caballitos del diablo se han movido más que tú. Al menos debía de haber un centenar —añadió cerrando el bloc de dibujo, y luego se lo metió bajo el brazo, sacó las zapatillas de tenis de la bolsa en la que había guardado el carboncillo y se levantó para ponérselas—. ¡Eres fantástico! Al principio no estaba segura de si eras real. He estado deseando toda la mañana tener un modelo. Creí que quizá por eso tú estabas aquí.

No pareció estar tomándome el pelo.

—¡No me digas! —respondí después de contemplarla varios segundos mientras pasaba de nuevo sobre las rocas—. ¿Creíste que yo estaba aquí porque tú lo deseabas?

A lo mejor sentía como yo que este valle era en cierto modo mágico. Que en este lugar pasaban cosas inexplicables que no sucedían en el resto del mundo.

—¡Claro! —repuso justo antes de desaparecer al cruzar el borde del saliente rocoso de la laguna—. Me refiero a que soy la chica de los deseos, ¿no crees? Porque se hace realidad lo que deseo.

—¿Qué has dicho? —exclamé intentando seguirla, pero me detuve para coger las botas: sabía que no podría darle alcance si iba descalzo por la ladera. Pero tras ponérmelas y echar a correr al lugar donde se había esfumado entre dos árboles, no pude dar con ella. Había desaparecido, lo cual era muy extraño porque las colinas estaban prácticamente desnudas de vegetación a nuestro alrededor, salvo en la hendidura que ocultaba la laguna.

Trepé un poco hasta el saliente desde donde tenía una visión panorámica del lugar, pero no la vi, pese a quedarme allí diez minutos esperando y observando. ¿Se había mimetizado con el valle? Tal vez se había escondido en alguna parte y estaba esperando a que me fuera para salir y volver a su hogar, dondequiera que viviera. Quizá residía en una de las dos casas de esta parte de la colina.

O quizá, pensé, formaba parte de la magia del valle. Me había dicho que era la chica de los deseos.

Descarté este pensamiento. Era una bobada. Ella no era nada especial, sino una simple chica. Seguramente tenía un puñado de amigas con las que volvería la próxima vez a este apacible lugar. Chicas bulliciosas que echarían a correr por el valle, explorándolo y llenándolo de palabras.

Estropeándolo.

¿Que yo era su deseo hecho realidad? ¡Y qué más! Pues yo llevaba mucho tiempo deseando estar solo, realmente solo, sin nadie que me molestara, me hablara o me dijera que era un fracaso. Y había creído que por fin vería cumplido mi sueño en este lugar.

Tal vez esa chica había conseguido su deseo. Pero ¿y yo qué? Ella no era para mí ningún deseo hecho realidad.

Capítulo 6

Al día siguiente deseé no habérmela encontrado nunca.

Todo empezó cuando regresé a la laguna. Sabía que no debería haber ido. Aunque nadie pareció haberme echado de menos en casa el día anterior, desaparecer tres días seguidos era probablemente tentar la suerte. Pero el valle era un lugar especial. Y la chica había afirmado que yo era fantástico. Y asombroso. Nunca me habían dicho antes esta clase de cosas.

Cuando llegué al valle, no había nadie. Salvo un puñado de bichitos: zapateros patinando por la superficie de la laguna y renacuajos ondeando sus cuerpecitos negros en forma de lágrima bajo el agua alrededor de la orilla. Los estuve contemplando durante mucho tiempo, y cuanto más lo hacía, más seguro estaba de que nadaban siguiendo un determinado patrón, trazando formas, casi bailando. Y de pronto descubrí que ella había vuelto.

Me estaba dibujando otra vez.

—No te muevas —dijo en voz baja cuando alargué la mano para rascarme una antigua picadura de mosquito en el cuello—. Ya casi lo he acabado.

Su voz quebró la calma matutina del valle y asustó a unos pocos pájaros que se habían acercado a mí brincando por la maleza.

Suspiré. Yo tenía razón. Ella acabaría siendo una de esas niñas ruidosas.

—Escucha, chica de los deseos —le dije sin saber aún su nombre real. Pero ella lo solucionó enseguida.

—Soy Annie —respondió cerrando de golpe el bloc de dibujo.

Cruzó el borde de la pared rocosa de la laguna intentando mantener el equilibrio para acercarse a mí. Llevaba una especie de tobilleras de color azul marino alrededor de los tobillos, como las que los chicos deportistas se ponen cuando se lesionan haciendo deporte.

Al ver que las miraba se las sacó, y el chasquido del velcro hizo que el último gorrión que quedaba huyera volando asustado de la laguna.

—Me llamo Annie Blythe. ¿Vives cerca de aquí? —preguntó embutiendo las tobilleras en su bolsa.

—Sí. Por desgracia. Pero lo que iba a decir es que habría deseado que tú...

—¿Que yo te hiciera compañía? —dijo interrumpiéndome—. Sí, lo haré. Desde la primera vez que te vi me di cuenta de que te iría bien. Soy una chica muy intuitiva.

Casi me eché a reír, pero no lo hice para que no se llevara una idea equivocada de mí.

—No, no necesito compañía. En realidad estoy intentando disfrutar del silencio.

—¡Oh!, ¿estabas meditando? —preguntó Annie dejándose caer ruidosamente junto a mí, luego cruzó las piernas en forma de ocho de manera inusitada, cerró los ojos, posó las manos en las rodillas y se puso a canturrear: «Ommmmm».

Nunca lo había oído pronunciar tan alto. Seguramente la podían oír hasta en el Tíbet.

—No —respondí—. Simplemente quiero estar solo.

Ella no hizo más que seguir canturreando el om más alto aún.

Era inútil. Por más que quisiera decirle que me dejara en paz, que se largara, no iba a funcionar. Tendría que irme yo.

—Encantado de conocerte, Annie —le mentí.

—¡Oh, venga! —exclamó agarrándome del brazo y tirando de mí para que volviera—. Siento haberte estropeado tu respiro plagado de bichos.

—¿Mi qué? —grité sacudiendo la cabeza y apartando el brazo para zafarme de ella—. No importa, me tengo que ir —le solté empezando a bajar por las rocas, preguntándome si habría más lagunas cerca del valle. Lagunas sin chicas ruidosas.

—¡Ay! —oí. Me volví. Annie estaba agachada con las manos en la cabeza. O más bien en el gorro. Volvía a llevar ese gorro marrón que hacía que su cabeza pareciera una bellota gigante.

—¿Te encuentras bien? —le pregunté. Se había caído al suelo, con el material de dibujo desparramado a su alrededor. Lanzando un suspiro, regresé adonde ella estaba para ayudarla—. ¿Qué te ha pasado? ¿Te has dado un golpe en la cabeza?

—No —repuso ella, y entonces advertí la mueca de dolor en su cara.

—¿Has tropezado? Quizá deberías volver a ponerte las tobilleras.

—No me pasa nada en los tobillos —musitó levantándose y luego se balanceó ligeramente sobre la almohadilla de los pies—. Es mi cabeza.

—¿Qué te pasa?

—Nada. Solo me duele. A menudo.

—A mí también.

—¿Ah, sí? —logró decir Annie al cabo de unos segundos. Pero me daba cuenta de que le costaba mucho hablar por el dolor—. ¿Por qué te duele?

—Por el ruido —respondí—. El ruido constante —añadí pensando en Carlie, Laura y mamá—. Sobre todo por las chicas ruidosas.

Annie sonrió un poco, pero solo por un segundo.

—Prueba esto —le sugerí agarrándole la mano.

Había un punto que mi madre me había mostrado una vez, entre el pulgar y el índice, en la parte carnosa de la membrana de la mano. Si presionabas este punto el tiempo suficiente a veces el dolor de cabeza se iba.

—No funciona —dijo Annie mientras observaba cómo yo se lo frotaba. Probablemente pensaba que era un chico muy raro—. Esta clase de dolor de cabeza no se va presionando los puntos de acupuntura, pero te agradezco que lo hayas intentado.

—¡Oh, lo siento! —exclamé soltándole la mano—. Pues mi padre siempre dice que nadie se ha muerto nunca de un dolor de cabeza.

Annie se echó a reír llevándose las manos a la cabeza, como si cada risotada fuera un cuchillo perforándole el cerebro.

Pero ¿qué era lo que le había hecho tanta gracia?

Al cabo de unos segundos se puso en pie y guardó en la bolsa todo el material de dibujo que yo le había recogido del suelo.

—Vayámonos entonces. ¿Adónde quieres ir?

Lancé un suspiro. ¿Cómo se lo podía decir? *No te ofendas, pero quiero estar solo. ¿Podrías buscar algún otro lugar al que ir? ¿Como el Polo Norte?*

No, decirle esto sería una grosería. Pelearme con ella sería peor que si me largaba sin más. Pero mientras empecé a descender por la colina, me vino un pensamiento a la cabeza.

—¿Has venido sola?

—¿Y tú? —repuso ella siguiéndome por entre las rocas.

—Sí —contesté—. ¿Así que vives cerca de aquí? ¿En qué casa?

—No vivo aquí, sino cerca de Houston. Pero voy a ir al campamento del otro lado de la colina, en Doublecreek Farm.

—¿Hay un campamento cerca de aquí? —pregunté. No recordaba haber visto nada tan grande como un campamento.

—Bueno, es uno pequeño. Solo hay veinte chicas. Empieza mañana —observó. No se veía entusiasmada.

—¿Cuánto tiempo durará? Me refiero a cuánto tiempo vas a estar por este valle.

—Dos semanas —repuso con voz apesadumbrada.

—Eso no es nada. ¿Echas de menos a tu madre o algo?

—Pues sí —dijo Annie poniendo los ojos en blanco—. Ella ha venido conmigo.

No pude evitar sonreír.

—¿Lo dices en serio?

Yo creía que los campamentos servían sobre todo para que los chicos se valieran por sí mismos. Aunque esto no parecía ser un problema para ella.

—Bueno, solo se quedará el fin de semana —observó Annie—. El domingo por la noche volverá en coche a Houston.

—¿Y no le importa que estés... vagando sola por el monte? —le dije.

Me pregunté si debía decirle lo de la serpiente de cascabel. A lo mejor si lo hacía se asustaría.

—No. Al menos ayer no le importó. Pero le dije que me había hecho amiga de alguien mayor que yo, y que habíamos estado juntos. Espero que no te importe.

¿Le había hablado a su madre de mí?

—¿Mayor que tú? ¡Si solo tengo doce años! Bueno, casi trece. ¿Y cuántos tienes tú?

—Doce. ¿Y qué?

—Pues que le mentiste. Tenemos la misma edad.

Annie se encogió de hombros.

—No pasa nada. La edad no es más que una cifra. Creo que lo leí en una tarjeta de cumpleaños.

—¿Y le pareció bien que estuvieras todo el día por ahí?

—Sí, ella me deja hacer lo que yo quiera —afirmó, y luego hizo una pausa tensando los labios—. Bueno, casi todo —añadió.

—¿Incluso salir con un chico al que no conoce? Supongo que es cierto que te *deja* hacer todo lo que tú quieras.

—Bueno, me ha obligado a coger el móvil para que la llame en caso de emergencia. Aunque probablemente no sabe que en este lugar no hay cobertura. ¡Ah, y además le dije que eras una chica!

—¿Una chica?

—Una Girl Scout —puntualizó adelantándome antes de que yo le pudiera responder indignado—. Le dije que te llamabas Jasmine Penelope.

—¡Espera! ¿Por qué le dijiste eso? —le grité mientras la perseguía. Avanzaba con rapidez por las rocas, casi sin hacer ruido—. ¿Por qué le has dicho que me llamaba Jasmine Penelope? —pregunté intrigado. ¿Acaso tenía yo aspecto de una Jasmine Penelope? Parecía la marca de un popurrí.

—¿Y qué querías que le dijera? «Mamá, voy a pasar el tiempo con un chico que conocí ayer en el monte. Sí, probablemente es un asesino psicópata, pero no te preocupes.» Créeme, se ha quedado mucho más tranquila con la historia de la amiga Girl Scout.

Vi que tenía razón.

—De acuerdo —asentí sin demasiada convicción.

Las rocas se habían vuelto más planas y escasas y ella se había empezado a adentrar por entre la maleza. Por unas matas que parecían hiedra venenosa.

—Por cierto, ¿adónde me llevas?

—Al fondo del valle —respondió Annie—. Supongo que encontraremos un riachuelo o algo parecido. Sigue andando, ¿de acuerdo? Voy a ver si te puedo dibujar cubierto de sanguijuelas, abejas, avispas o algún otro bicho. Me pregunto cuántos escorpiones deben haber por aquí.

—¿Escorpiones?

Supuse que estaba bromeando. Esperé que así fuera. La seguí de todos modos, espantando a manotazos los mosquitos de mi rostro y oyéndola tatarear la canción «El oso se fue a la montaña» sin poder gozar de un día silencioso. Deseaba que Annie no me hubiera acompañado. Me caía bien, pero era una chica rara y mandona. Y una mentirosa de armas tomar. Era evidente que estaba decidida a dibujarme cubierto de hormigas rojas o de algún otro bichejo. Y aunque me había gustado que me dibujara la primera vez, ya me había hartado de ello. No había venido a este lugar para ser observado o examinado, sino para..., bueno, para ver lo que podía ver, como el oso de la canción que Annie estaba tarareando.

Aunque si ella seguía haciendo tanto barullo, no vería nada de nada.

Pero cuando llegamos al fondo del valle y descubrimos de pronto un salto de agua, los dos nos paramos en seco maravillados. El agua brillaba y centelleaba como una cascada de diamantes y zafiros, canturreando al caer contra las piedras, repiqueteando en el suelo para que la pudiera sentir en mis pies.

Era increíble. Hasta Annie se había quedado más callada de lo que había estado nunca. Creo que esa fue la única razón por la que oímos los disparos en medio del estruendo del agua.

Capítulo 7

—¿Qué ha sido eso? —preguntó Annie asustada, mordiéndose el labio inferior. Me recordó a Carlie cuando estallaba una tormenta. Esperé que no fuera a perder los nervios.

—Escopetas —dije—. Alguien está disparando.

En San Antonio había oído disparos unas pocas veces. Allí significaba que alguien estaba recibiendo un balazo, pero no creía que significara lo mismo en este lugar.

—Probablemente están cazando —susurré.

Los disparos venían de la cima de la colina, un poco más a la izquierda de la dirección en la que habíamos estado caminando.

—¿Y qué van a cazar? —preguntó Annie con insolencia—. ¿Un ciervo? ¿Una cierva? Estamos en junio, Peter. No es la temporada de caza.

—A lo mejor están practicando con una diana —le dije para tranquilizarla.

Eché a andar de nuevo en dirección contraria a la de los disparos. Era extraño. A medida que caminaba advertí que los mosquitos, e incluso algunas avispas, iban volando lo más deprisa posible a lo alto de la colina. Al lugar de donde venían los disparos, como si estuvieran llegando tarde o algo parecido.

—En este lugar no vive nadie —afirmó ella—. El valle pertenece a la mujer del Coronel.

Qué curioso, cuando estaba con Annie me pasaba todo el tiempo deseando que se largara o sin pillar lo que me decía.

—¿Quién? ¿A qué coronel te refieres?

—A uno que murió —respondió ella observando la cascada.

Pero ahora que la veía más de cerca, descubrí que no era una auténtica cascada, porque solo tenía un metro de altura y caía al lecho de un riachuelo donde el agua como mucho nos llegaría a las rodillas. A un lado había un acantilado y el agua parecía brotar de algún lugar que quedaba por encima de la cascada. A lo mejor había una especie de manantial. La rocas de los alrededores eran de piedra caliza y sabía por la clase de ciencias que esto significaba que habría cuevas y corrientes subterráneas.

Los árboles a ambos lados del riachuelo eran robles, pero también vi unos pocos cipreses pequeños con las raíces sumergidas en el agua como patas marrones esmirriadas.

—Un coronel que ha muerto —repetí siguiendo a Annie mientras ella trepaba por las rocas resbaladizas para ir a la cúspide del salto de agua. Resbaló una vez. Estuve a punto de sostenerla, pero me echó una mirada de esas de *no me pongas las manos encima.* Pues ya se las apañaría ella sola; si resbalaba y se caía, no sería por mi culpa.

—Sí, un coronel que ha muerto —dijo en cuanto pasó por encima de un montón de ramas, asustando a una nube de mariposas nocturnas grises que descansaban sobre ellas—. Mamá me dijo que no correteara por el valle sin el permiso de la mujer del Coronel. Ayer por la mañana fue a visitarla. ¿Tú le has pedido permiso? —añadió deteniéndose.

—Pues… no —respondí.

¿Era mi imaginación o las mariposas nocturnas se habían posado en el tronco de un roble formando el perfil de un hombre mayor?

—¿No tienes permiso para estar aquí?

Sacudí la cabeza.

—No sabía que estas tierras fueran de alguien.

—¡Menudo intruso estás hecho! —me soltó Annie intentando meterme miedo—. No puedo creer que no te hayan pillado.

—¿Has dicho que el valle es de la mujer del Coronel? —pregunté sintiéndome un poco nervioso. Los coroneles eran militares. Probablemente esa mujer tenía una colección de escopetas—. ¿Crees que era ella la que disparaba? Tal vez sí que es mejor que me vaya —añadí.

No me gustaba la idea de que me metieran un balazo en un lugar donde no había un solo hospital en kilómetros a la redonda por colarme en una propiedad privada.

—No, ella no te dispararía. Está loca, pero no hasta el punto de ser una asesina.

—¿Y por qué afirmas entonces que está loca? Por cierto, no está bien decir eso de la gente —le solté. Los chicos de mi último colegio también decían que yo estaba loco porque no me gustaba hacer lo mismo que ellos. Supongo que creían que alguien que no jugara a fútbol ni fuera por ahí gritando como un troglodita era un idiota.

Annie se detuvo, trepó a la rama más grande que encontró y se sentó a horcajadas, balanceando las piernas.

—No me eches a mí la culpa. Fue mi madre la que dijo que la mujer del Coronel estaba loca.

—¿Por qué? —pregunté trepando a otra rama que había a su lado. Desde este lugar teníamos una vista panorámica del lecho del río. Yo también me puse a balancear las piernas.

—La mujer del Coronel respondió algo como que yo podía bajar hasta el valle si este me dejaba. Como si la decisión no dependiera de ella, sino de las tierras —añadió riendo—. Es muy raro, ¿verdad?

—Sí, un poco —repuse, aunque recordé la sensación del día anterior. Como si el valle me estuviera poniendo a prueba. Me pregunté si de haberme movido —si no hubiera permanecido quieto— me habría hecho algo el valle para que me largara.

¿Me habría picado la serpiente?

Tal vez la mujer del Coronel no estaba loca. Pero no pensaba decírselo a Annie.

—¡Me importa un bledo que esté loca o no mientras yo pueda corretear por aquí! Este lugar es tan hermoso que me inspira —dijo sonriendo de nuevo, torciendo extrañamente la boca de una forma que no parecía que fuera demasiado feliz—. De todos modos, la mujer del Coronel no me iba a decir que no, ¿no crees?

De pronto un montón de pensamientos se agolparon en mi mente. Según mi propia experiencia, *¡no!* era una de las palabras preferidas de mamá.

—¿Por qué la mujer del Coronel no te lo iba a prohibir?

—Porque, como bien sabes, soy la chica de los deseos. Por eso estoy aquí. En el campamento. Porque es lo que deseaba.

—¿Es lo que deseabas? —respondí sorprendido echándome casi a reír. Esta chica estaba como una cabra—. Ni siquiera entiendo la mitad de lo que me dices. ¿Estás segura de que la cabeza te funciona bien?

La sonrisa se le borró de golpe de la cara.

—Al menos por el momento —musitó quebrándosele la voz.

Me volví para mirarla, pero ella apartó la vista. Se puso a reseguir la línea sinuosa que una termita o algo parecido había labrado en la rama, un medio túnel absurdo que serpenteaba por la corteza.

¿Qué le había dicho yo para que reaccionara así?

—Ya te he dicho que soy la chica de los deseos —afirmó—. ¿Lo entiendes o no?

—Pues no —repuse. ¿La chica de los deseos? Creía que estaba bromeando. ¿Qué quería decir? Pero no me dio buena espina—. ¿Te refieres a los deseos que se cumplen?

Annie saltó al suelo, agitada, y echó a andar a zancadas por la orilla del riachuelo, removiendo a su paso las hojas secas y la tierra.

—No —la oí decir, aunque hablara en voz baja por primera vez en todo el día—. A los deseos que no se cumplen.

Capítulo 8

Me daba cuenta de que Annie no quería seguir hablando. Y en cierto modo me alegré de ello, porque después de caminar un rato por la orilla del arroyo, descubrimos el paraje más hermoso que jamás había visto, y las palabras lo habrían estropeado sin duda.

Casi choqué con ella al doblar el último recodo. Los árboles eran más escasos, pero vi un grupo de matas y un roble rojo enorme en el remanso, y tras girar por el caminillo que lo bordeaba, Annie se paró en seco.

Y descubrí por qué.

Frente a nosotros se extendía a lo largo de cientos de metros un prado cubierto de flores silvestres. Era de color rojo, amarillo y naranja, y estaba repleto de rudbeckias, gallardias y pinceles indios. Aspiré una bocanada de aire y me llegó un intenso aroma de polen y néctar.

El sonido de la cascada se había desvanecido y ahora lo que oía eran abejas. Miles de abejas zumbando y revoloteando por la hierba. También vi saltamontes mientras Annie se adentraba con tiento en el prado y los insectos de patas largas huían volando hacia ambos lados.

—Ojalá pudiéramos quedarnos en este lugar para siempre —dijo como si me leyera el pensamiento.

Se dirigió al centro de la pradera y se sentó entre las flores. Apenas le podía ver la cabeza, su gorrito marrón asomando entre las flores silvestres parecía una flor gigante de las llamadas sombrero mexicano. Entonces Annie se lo sacó.

Pero ¿qué era eso? Tenía el pelo de color rojo, no era el típico pelirrojo, sino que se lo había teñido de color rojo chillón como el de los camiones de los bomberos, las ambulancias y las señales de stop.

Sin poder evitarlo, me eché a reír sorprendido.

—¿Tienes algún problema? —me soltó ella fulminándome con la mirada.

—No —respondí abriéndome paso entre las flores para sentarme a su lado. Annie parecía una flor pincel indio enorme—. Es que nunca había visto a una chica con el pelo colorado. Salvo en la tele. Tu madre debe de ser muy moderna.

—Ya te he dicho que me deja hacer lo que yo quiera —afirmó cerrando los ojos.

Es una mimada, pensé.

—Me apuesto lo que quieras a que ni siquiera lavas lo platos.

—¿Y qué pasa? —respondió ella con los ojos cerrados aún—. ¿Por qué tendría que lavarlos si es mejor que me dedique a pintar? ¿Es que crees que Frida Kahlo se pasaba los días inclinada sobre un fregadero lleno de agua jabonosa? ¿Que Andy Goldsworthy se pasa todo el tiempo haciendo la colada?

No le respondí. Me sentí como un memo. Me refiero a que había oído hablar de Frida Kahlo, la pintora mexicana cejijunta. La habíamos estudiado en clase de arte y me gustaban sus pinturas porque solía aparecer un mono en ellas.

Annie lanzó un hondo suspiro.

—Adelante, pregúntamelo —dijo ella.

De acuerdo.

—Conozco a Frida Kahlo. Pero ¿quién es Andy Goldsworthy?

—¡Oh, caramba! —exclamó Annie entusiasmándose de pronto—. El artista naturalista más guay del mundo. Viajé a la ciudad de Nueva York a los ocho años porque fue mi primer deseo y visité un parque con esculturas suyas. Goldsworthy se había servido de los materiales naturales que había en él (piedras, madera, y todo aquello que le suministraba la naturaleza) para crear arte. Fue... alucinante.

No lo captaba. ¿Usaba palos y rocas para crear obras de arte? Sacudí la cabeza.

—¿Acaso se puede superar algo como esto? —dije señalando con la palma hacia arriba el prado cubierto de flores.

—No lo entiendes —repuso Annie—. Quiero decir que no estoy segura de que puedas entenderlo, a no ser que hayas al menos visto sus vídeos o leído uno de sus libros. Ojalá los hubiera traído conmigo, porque te mostraría un arte que nunca te has podido imaginar. Tengo libros sobre todo tipo de artistas, sobre los modernos y también los antiguos.

Sonreí. ¡Cómo se había entusiasmado al hablar de arte!

—Así que piensas ser artista de mayor, ¿eh? —dije expresando en voz alta lo que pensaba.

—No esperaré a ser mayor —musitó—, pienso hacerlo ahora. No me queda más remedio —añadió y, enmudeciendo, echó una rápida mirada a su alrededor. Movía los ojos como un colibrí aleteando, de las flores al cielo y del cielo a las ramas de los árboles. Yo también miré alrededor preguntándome qué es lo que estaba intentando ver.

—*Pienso* hacerlo. Ahora. ¡Esta semana!

—¿Hacer el qué?

Annie no me respondió, y siguió hablando consigo misma.

—Tengo que reflexionar sobre ello —dijo por fin—. Es complicado. La colina de este lugar tiene una gama de colores limitada...

Me acomodé en la hierba, preguntándome en qué estaría pensando Annie. Fuera lo que fuera, parecía haberla animado. O al menos distraído. Estuvo yendo de arriba abajo por la pradera, hablando entre dientes y recogiendo pequeños objetos naturales del suelo. ¿Hojas, palitos? A saber. Me tendí lentamente de espaldas sobre la hierba, pidiéndole perdón en silencio a cualquier hormiga o escarabajo que estuviera aún en la zona peligrosa. No quería lastimar a ningún ser de un lugar tan maravilloso, ni siquiera sin querer.

Aunque seguro que espachurré a algunas hormigas, porque era inevitable: las había a cientos por el suelo y a mi alrededor. Le di a una un copo de avena de la barrita de granola que me estaba zampando. Era extraño. Las hormigas no trepaban por encima de mí como de costumbre. Llegaban hasta mis piernas o mis brazos, me exploraban con las antenas y entonces daban media vuelta. Como si respetaran mi espacio vital.

¡Qué raro!

Pero más raro aún era la forma en que los pájaros volaban. Había estado contemplando el cielo, intentando ignorar a Annie y sus sonidos de frustración mientras buscaba de aquí para allá, fuera lo que fuera lo que quisiera encontrar. Si un pájaro volaba por encima de mi cabeza, yo trazaba con el dedo su trayectoria en el aire, siguiendo las formas que describía al volar. De repente se me ocurrió inventarme nuevas trayectorias, y me pregunté por un instante cómo volaría yo si fuera un pájaro: zigzagueando, planeando en diagonal y bajando en picado por el cielo. Empecé a dibujar por encima de mi cabeza las trayectorias imaginadas, lentamente, moviendo el dedo con esmero, y a los pocos segundos, tal vez al cabo de un minuto, un pájaro comenzó a trazar exactamente la trayectoria que yo había delineado con el dedo.

No una parecida, sino una completamente igual.

Al principio supuse que había sido pura casualidad. Pero después de que la tercera golondrina o gorrión —desde esa distancia no los distinguía bien— volara siguiendo la misma trayectoria que yo había trazado con el dedo, me incorporé de golpe. ¿Me lo estaba imaginando?

Para averiguarlo decidí ser más creativo y dibujé florituras y espirales imaginarias en el aire, incluso letras —*Annie*— en cursiva. Abrí los ojos de par en par para asegurarme de no estar soñándolo todo por haberme quedado adormilado.

Y de súbito un pájaro —creo que era una tijereta rosada— llegó al cabo de menos de treinta segundos y siguió la trayectoria que yo había dibujado como atraído por un imán.

Increíble. Mágico. El viento agitó mi pelo como el día anterior.

—¡Qué guay! Gracias —musité.

Tenía que mostrárselo a Annie.

Pero cuando me levanté, se había ido.

¡Vaya! Era la primera chica que conocía que se esfumaba tan deprisa. Era como un saltamontes: en un momento estaba aquí y al siguiente había desaparecido. La busqué con la mirada por la pradera. Con su pelo de color rojo chillón sería fácil encontrarla. Quizás había regresado al riachuelo. No quería estropear el silencio del valle llamándola a gritos, pero me estaba empezando a preocupar. ¿Y si se había caído al dolerle la cabeza?... Quizá no se encontraba bien.

Me sentí enojado de nuevo. ¡Qué mala suerte! Ahora que había descubierto el lugar más maravilloso del mundo tenía que dedicarme a buscar a una chica perdida. Pero mientras la buscaba —por el arroyo, en la cima de la colina, alrededor de las rocas— sin encontrarla, empecé a sentirme culpable. A lo mejor se había perdido de verdad. Tal vez se había hecho daño en algún sitio...

No había revisado a fondo la otra parte de la pradera. Quizá se había caído por el orificio de un desagüe o en alguna hendidura. Era mejor volver atrás. Eché a correr llamándola en voz baja.

—¡Annie!

Creí oír algo en la lejanía, al fondo del valle, al otro lado de la pradera, en por lo menos otro robledal más remoto. Eché a correr sin fijarme en el ruido que hacía.

—¡Annie! —grité de nuevo.

Y entonces oí una palabra, clara como el agua, pero demasiado lejana aún.

—¡Ayúdame!

Capítulo 9

No era un corredor veloz. Papá decía que era porque me pasaba demasiado tiempo metido en casa. Él sí que corría como un gamo, hasta había sido mariscal de campo en el equipo de fútbol americano del instituto antes de verse obligado a dejarlo por la rotura de un tendón.

Pero es posible que en esta ocasión yo batiera un récord olímpico mientras corría hacia el grito lejano de «¡Ayúdame!»

Crucé una hilera de árboles tan deprisa que incluso me jugué el pellejo, pasando agachado por debajo de parras y ramas bajas, y saltando por encima de rocas y matojos.

En menos de un minuto salí de los árboles y me descubrí en otra pradera. Estaba salpicada de rocas enormes, pero no había ninguna flor en ella. Solo colores verdes y grises.

Bueno, salvo el rojo chillón de la cabeza de Annie asomando detrás de una gran roca.

—¡Ayúdame! —volvió a decir.

Tenía yo razón, seguramente se había quedado atascada en algún sitio, o le había picado una serpiente, o... de golpe se me pasaron por la cabeza un montón de posibilidades mientras corría a su lado, preguntándome lo lejos que quedaría un hospital donde pudieran atenderla.

Pero cuando llegué al lugar, me paré en seco. Annie no estaba herida. Ni atascada. Estaba...

—¿Qué estás haciendo?

Ella sonrió.

—Estoy creando arte. Pero me va a llevar un tiempo.

El corazón me martilleaba en el pecho y tuve que inclinarme hacia delante para recuperar el aliento. Me moría de ganas de zarandearla o de agarrarla por el pescuezo.

—¿Por qué pedías ayuda a gritos? —le solté jadeando, preguntándome si lograría contenerme para no estrangularla, porque no me faltaban las ganas... Me sentí tentado a hacerlo.

—¿Pidiendo ayuda a gritos? —dijo ella echándose a reír—. No, gritaba para que vinieras a ayudarme. Lo que estoy haciendo es muy divertido, ¿lo ves? —añadió señalándome el suelo, y entonces vi un montón de briznas de hierba diminutas y relucientes. Había tantas mariquitas trepando por ellas que parecía que la hierba estuviera viva.

Con el pulso desbocado aún y jadeando, contemplé lo que Annie había empezado. En la piedra gigantesca que se alzaba ante ella había unas marcas muy extrañas. Hendiduras y protuberancias que parecían como...

—¿Huellas de dinosaurios? —logré decir.

—No creo que lo sean de verdad —afirmó Annie arrancando un puñado de briznas de hierba, con mariquitas incluidas, para colocarlas en un lecho tupido dentro de las huellas—. Creo que solo lo parecen. Pero me fascinan las ideas que me inspiran los materiales naturales: las briznas de hierba y las huellas del tiranosaurio. Y las joyas vivientes —añadió sosteniendo en alto una mariquita posada en su dedo, que no huyó volando—. Al igual que también me fascina la criatura mastodóntica y feroz que habitaba en este lugar dejando una estela de destrucción a su paso, y luego millones de años después sus huellas fosilizadas llenas de briznas de hierba recién arrancada y de mariquitas diminutas como la que tengo en el dedo. ¿No te gusta el modo en que nos sugieren que las cosas permanentes de este mundo son efímeras al mismo tiempo?

Mi mente estaba repleta de pensamientos.

—¿Efímeras?

—Sí —asintió alzando una ceja—. Ya sabes a lo que me refiero, a que todo cambia, a que nada dura para siempre...

—Sé lo que quieres decir —le interrumpí. Y era verdad. Lo sabía. Al menos ahora—. Lo que quiero saber es ¡por qué te fuiste corriendo sin avisar! —añadí con el corazón martilleándome aún con tanta fuerza que lo podía sentir en la garganta.

Estuve en un tris de ponerme a gritar, a voz en cuello, sin importarme un rábano el valle o la quietud. Si no andaba con ojo, acabaría gritando como Laura. ¡Esta chica estaba a punto de sacarme de mis casillas!

—¡Eres una estúpida! —le solté intentando contenerme con todas mis fuerzas para no alzar la voz—. ¡Creí que te estabas muriendo!

—¿Creíste que me estaba muriendo? —dijo Annie levantándose tan deprisa que quedó envuelta de pétalos de flores revoloteando a su alrededor—. ¡Y yo que creía que *eras* el chico más tontorrón del mundo! Al menos has acertado en eso.

Y luego se largó pitando, dejándome ahí plantado contemplando su espalda y las efímeras briznas de hierba en las huellas de dinosauro.

Fue entonces cuando lo entendí. La chica de los deseos. La chica de los *deseos.*

¡Oh, vaya! El corazón me dio un vuelco. Todas esas cosas que me había dicho que yo no acababa de pillar, todos esos «deseos» de los que no paraba de hablar. Esperé con toda el alma equivocarme. Pero si estaba en lo cierto..., debía pedirle perdón. Eché a correr para darle alcance. No me tomó demasiado tiempo lograrlo y, cuando la atrapé, ella se detuvo. Pero no quiso mirarme a la cara.

—Annie, lo siento —me disculpé.

—De acuerdo —repuso ella—. Y ahora que ya te has disculpado, vete.

Sacudí la cabeza, aunque ella no pudiera verme. Empezamos a regresar al prado cubierto de flores. Hacia casa.

—Cuando me dijiste que eras la chica de los deseos —le pregunté al cabo de varios minutos—, te referías a que eras la clase de chica a quien se los conceden, ¿verdad?

—Sí —repuso. Su voz sonaba extraña, sin vida.

Me noté la boca pastosa. Sabía lo que significaba ser una chica de los deseos. Solo te conceden deseos como viajar a Disney World, ir a la playa o a un campamento de verano... cuando no es posible que puedas hacer realidad ningún otro tipo de deseo.

Como crecer, ir a la universidad, formar una familia.

Vivir.

Nos adentramos de nuevo en el prado cubierto de flores y Annie se detuvo, asimilando todo ese color y belleza.

—¿Te estás... muriendo? —le pregunté sin poder evitarlo.

Ella suspiró.

—Ojalá... —dijo y luego soltó una triste risita—. Bueno, no me estoy muriendo. O quizá sí. Lo que tengo está... empeorando, creo. Bueno, eso es lo que a veces pienso —añadió dejándose caer entre las flores de nuevo.

¿Era peor que morir? Me quedé helado, preguntándome qué diantres podría ser peor que morir. Pero pensé que lo mejor era no hacerle ninguna pregunta más por el momento. Annie estaba con los ojos cerrados y la cara vuelta hacia el sol. Su tez morena estaba salpicada de pecas.

Mi curiosidad podía esperar. Reclinado con las manos apoyadas en el suelo, seguí su ejemplo y dirigí la cara hacia el sol. En esta parte baja del valle aún hacía bastante frío y la brisa era mucho más suave. Pero cuando soplaba, llegaba cargada del aroma de miles de flores. Olía a miel y a tierra. Respiré más hondo, llenándome los pulmones hasta el fondo.

Al cabo de varios minutos Annie habló, aunque con una voz tan baja como un zumbido de abeja.

—Tengo cáncer.

Me lo había imaginado.

—Lo he tenido desde que era pequeña. Es una clase de leucemia. Me empezó en los huesos a los seis años. Me siento como si hubiera pasado la mayor parte de mi vida en hospitales. Creyeron que la enfermedad estaba remitiendo. Durante años. Pero el mes pasado volvió a dolerme la cabeza.

Asentí en silencio, aunque ella no pudiera verme.

—Cuando fui a la revisión médica me encontraron células cancerosas en la médula espinal. Un montón. Muchas más que la última vez. Si no me tratan pronto con radiación, un montón de radiación y una buena dosis de quimio, creen que podría morir.

No lo entendía. Sabía que la radiación provocaba mucho malestar o que te dejaba para el arrastre. Pero ¿por qué creía Annie que el tratamiento para el cáncer era peor que morir? Tal vez fuera increíblemente doloroso o desagradable.

—¿El tratamiento es doloroso? —le acabé preguntando.

Ella exhaló una bocanada de aire larga y temblorosa.

—Te aseguro que las punciones lumbares y los tubitos insertados no son agradables para nada. Y los días que siguen a la quimio… —dijo haciendo una mueca—. El dolor puedo aguantarlo. Es la otra parte la que me da pavor.

¿Qué otra parte? Quería preguntarle. Pero no lo hice. Dejé que la brisa me pasara por encima y me quedé callado. Sentí como si el valle entero hubiera también enmudecido conmigo. Esperando.

—Tal vez me cure del cáncer —dijo ella después de un largo minuto de silencio—. En el pasado lo hice. Pero lo que me aterra son los efectos secundarios.

—¿Los efectos secundarios? —pregunté. Había oído hablar de ellos, pero ¿en qué consistían?

—Sí, lo que te pasa después —me aclaró ella—. Es como el desagradable suvenir que te queda—. Bienvenido a Cancerlandia, aquí tienes tu lesión cerebral. ¡Ah, y no te olvides de despedirte de tu capacidad motora cuando te vayas!

Lesión cerebral. ¿Eso le podía pasar a uno? Me acordé del comentario tan grosero que le hice sobre si estaba segura de que la cabeza le funcionaba bien. ¿Debía pedirle perdón otra vez? ¿O no haría más que empeorar las cosas? Como si no lo hiciera de corazón.

—¿Puede ser grave la lesión? —pregunté observando una abeja posarse en su cara y pasear por ella, dejando rastros de polen en su mejilla. No intenté espantarla de un manotazo, sabía que si lo hacía le podía picar.

—No lo saben —repuso en cuanto se fue la abeja—. Piensan que no podré hacer muchas cosas de las que ahora hago. *Pensar* —añadió riendo con amargura—. Esta es una de las cosas que no podré hacer tan bien como ahora.

¡No me lo podía creer! Esta chica que usaba unas palabras que yo nunca había oído… ¿ya no volvería a ser tan inteligente? ¿Acaso había algo peor que eso?

Sí.

—Tal vez me quede inválida. Conozco a una chica a la que le pasó. Ahora va en silla de ruedas —dijo sacudiendo la cabeza, como si quisiera sacarse este pensamiento de encima—. Como ya te he dicho, los médicos no lo saben con certeza. La última vez apenas me pasó nada. Salvo las articulaciones, que se me han quedado débiles, por eso tengo que llevar tobilleras —añadió señalando su bolsa, donde las había metido—. Antes iba a clase de ballet. Tenía el estúpido sueño de ser bailarina. Pero después del cáncer tuve que abandonarlo.

Annie soltó una risita amarga.

—Por eso mamá me deja corretear por el monte este fin de semana e ir al campamento de verano, aunque los médicos desearan empezar a tratarme el viernes. Sabe que dentro de algunas semanas quizá ya no pueda volver a correr nunca más. Ni a leer. Ni incluso a dibujar. A veces también afecta a la memoria. Puede que no vuelva a ser yo al cien por cien... jamás. O al menos no como ahora.

Annie enmudeció, me di cuenta de que necesitaba pensar en otra cosa. Y yo también.

Lo sentí, noté que estaba deseando que yo dijera algo, que cambiara de tema. Y aunque mi mente estuviera zumbando de un modo mucho más ruidoso que las abejas al estar repleta de pensamientos de cosas peores que la muerte, no sabía qué podía decirle para que se sintiera mejor, si existía alguna palabra con este poder. Así que fui hasta el límite de la pradera e hice lo único que se me daba bien.

Me quedé quieto y dejé que mi quietud se transformara en una pregunta.

En un deseo.

Y el valle me respondió.

Capítulo 10

Algo que le haga sentirse mejor, deseé. *Algo para distraerla.*

Un resoplido que venía de las flores espigadas, justo a la sombra del árbol más cercano, me hizo contener la respiración. Allí había un animal hurgando por entre las bellotas y las hojas secas.

—Annie —susurré en un hilo de voz al ver lo que era—. Ven a ver esto.

Ella me oyó, el vientecillo le llevó mis palabras por la pradera. Me alegré de sus pasos silenciosos; apenas emitió sonido alguno cuando se quedó plantada ante mí, con una ceja arqueada como única pregunta. La tomé de la mano y la llevé en silencio a la sombra del árbol.

Nos pusimos ambos en cuclillas. Annie dejó escapar un suspiro de alegría sin poder evitarlo. Yo sabía cómo se sentía.

La cría de armadillo estaba a un palmo de distancia de nuestras rodillas. No medía más de quince centímetros de largo, era de color gris claro y tenía los ojos negros y pequeñitos. Estaba seguro de que no podía vernos, al menos con claridad, porque ni siquiera había intentado escapar.

—Fíjate en su armadura —musitó Annie intentando tocarlo con un dedo, pero dudó cuando el animalito la olisqueó y volvió la cabeza. Su caparazón lleno de hoyuelos no era tan duro como el de un armadillo adulto, y las arrugas y pliegues de la parte superior y de los lados revelaban que aún lo tenía flexible. Me recordó la zona blanda de la cabeza de Carlie de recién nacida.

Yo no temía que Annie le hiciera daño, pero recordé también otra cosa.

—¡No lo toques! —le advertí—. Creo que los armadillos pueden contagiar la lepra.

Ella sonrió y luego puso los ojos en blanco

—Yo ya me estoy muriendo —dijo—. No me da miedo —añadió alargando la mano para acariciarlo.

En lugar de huir despavorida, la cría de armadillo siguió hurgando alrededor de nuestros pies durante veinte minutos como si se hubiera olvidado de lo que se suponía que estaba haciendo. A estas alturas Annie ya había sacado su bloc de dibujo y hecho un rápido esbozo del armadillo.

—Es bellísimo —afirmó poniéndose en pie y sacudiéndose el mantillo de hojas de las rodillas.

—Sí —repuse. Sabía a lo que se refería. Los armadillos no eran unos animales demasiado bonitos que digamos, pero este era tan pequeño que…

—Ni siquiera te he preguntado si querías dibujarlo —dijo Annie empujando su bloc de notas hacia mí—. ¿Dibujas?

—No. Soy un desastre en arte.

—¿Qué es lo que se te da bien? ¿Tocar un instrumento?

Quise echarme a reír. Sacudí la cabeza.

—Ya lo sé —dijo de pronto—. Escribes.

Me puse a temblar sin poder evitarlo.

—Ya no lo hago.

—¿Por qué? —preguntó Annie apartando su bloc de dibujo, aunque siguió mirándome, aguardando mi respuesta—. ¿Qué te pasó?

—Nada —mentí recordando lo último que había escrito. Lo que hizo que mis padres enloquecieran y que mi vida diera un vuelco de la noche a la mañana.

Y la de todos nosotros.

Era hora de cambiar de tema de nuevo.

—¿Crees que su madre lo estará buscando? —dije señalando con el dedo el armadillo.

Miré detenidamente entre las sombras más oscuras de los árboles próximos al arroyo. Una sombra, pequeña y achaparrada, se movía nerviosamente.

—¡Aquí está! —exclamé respondiendo a mi pregunta—. Es mejor que lo dejemos ir para que vuelva con su madre —sugerí tomando a Annie de la mano otra vez, y ambos dimos un paso atrás, observando a la cría desaparecer entre las sombras—. Gracias —le musité al valle lo bastante bajo para que Annie no me oyera. No quería que pensara que estaba tan loco como la mujer del Coronel.

Aunque me empezaba a preguntar si no lo estaría.

Cruzamos la pradera con lentitud. Frente a nosotros discurría una especie de sendero que antes me había pasado desapercibido por entre los árboles, de los que pendían parras frondosas con cepas retorcidas. Estaban cubiertas de racimos de uvas verdes. Como Annie parecía saberlo todo, le pregunté cuándo madurarían.

—No lo sé —repuso ella deslizando la mano por una parra tan gruesa como su muñeca y luego se detuvo para comprobar si sostendría su peso. Lo haría.

Encontró una parra lo bastante curvada y baja como para sentarse en ella a modo de trapecio.

—Empújame.

No pude evitar echarme a reír. Annie me recordó a cuando Carlie gritaba «¡Peep!» alzando sus manitas para que la cogiera en brazos. Tal vez las niñas aprendían a poner esta voz de princesa al mes de nacer o en cuanto empezaban a balbucear.

—Tus deseos son órdenes —respondí.

—Tienes razón —dijo Annie sonriendo—, todos mis deseos deben cumplirse. Y si me empujas el tiempo suficiente, quizá se cumpla también el tuyo. Pero vete a saber, siervo.

La estuve empujando un rato lo bastante alto como para que las parras protestaran y descendieran un poco.

—Si pudieras formular un deseo, Peter Stone —dijo ella de pronto saltando del columpio improvisado—, ¿qué es lo que pedirías?

Le respondí sin pensármelo. Era lo que había estado deseando durante años. Sobre todo desde que había descubierto el valle, desde que había sentido lo que era la verdadera quietud.

—Desearía poder estar solo —afirmé—. Sentir la paz y la quietud. Durante mucho tiempo. Sin tener que compartirlas con nadie. Sin tener que preocuparme por si alguien las estropea —añadí, pero no dije «sin tener que volver nunca más a casa». Por supuesto, me estaba refiriendo a los miembros de mi familia, sabía que no entenderían la quietud, que no captarían su belleza. Me imaginé que nunca lo harían.

Pero Annie no lo sabía.

En cuanto las palabras salieron de mi boca y vi su cara, comprendí lo que acababa de decir.

—¡Espera, no me estaba refiriendo a *ti*, sino a otras personas! —exclamé intentando arreglar el malentendido—. A mi hermana y... ¡eh, no te vayas! —grité, pero ya era demasiado tarde.

—Tus deseos son órdenes —me soltó sin ni siquiera volver la cabeza mientras se apresuraba a irse—. Ya no te molestaré más, Chico Piedra —añadió. Noté que tenía la voz llorosa. Di una patada en el suelo y una abeja salió de no sé dónde y me picó en la mano.

—¡Ay! —grité sacándome el aguijón y luego me estrujé la picadura para extraer el veneno—. ¡Lo siento! —dije a voz en cuello—. ¡No te vayas!

Pero ya se había ido. Después de cruzar la pradera, de que me picara otra abeja y de empezar a subir por la ladera, sabía que la situación ya no tenía remedio.

No podía darle alcance y, por más rápido que corriera, no podría dejar atrás la nube de enojados mosquitos que me seguía.

Sus molestas picaduras me hicieron sentir por fuera como me sentía por dentro. Destrozado a mordiscos.

Era un estúpido. Y el valle parecía darme la razón. Tropecé veinte veces mientras regresaba a casa, las piedras que parecían perfectamente estables se volvían resbaladizas en el último instante. Cuando llegué a la cima tenía las rodillas y las manos ensangrentadas por los rasguños.

Pero de repente descubrí que me había equivocado de colina. Mi hogar no estaba allí; de golpe y porrazo me topé con otra casa de extraña forma triangular, pintada de rojo con una franja blanca.

Y en el porche había una anciana sosteniendo una escopeta. Me estaba apuntando.

Capítulo 11

—Te has metido en una propiedad privada, chico —dijo la mujer en voz baja, pero clara. No le miré a la cara. Estaba demasiado preocupado por la escopeta—. ¡En mi propiedad!

—Lo siento mucho, señora —farfullé, aunque no sé cómo me las apañé para hablar. Me notaba la boca más seca que el algodón—. Creo que me he perdido.

—Has estado en el valle, ¿verdad? —observó riendo—. El valle te ha echado. Estás lleno de arañazos. Esto te enseñará a no meterte en mis tierras. Tienes suerte de que no te perforara los oídos, o te hiciera alguna otra cosa, con las púas de un puercoespín.

¡Oh, no!, debe de ser la mujer del Coronel, pensé. La que está loca de atar.

Y por su aspecto lo parecía. Vestía un mono viejo y una camisa de manga larga, y llevaba el pelo color ceniza recogido en un moño en la coronilla, sujeto por lo que parecía ser un palito mugriento. Se acercó a mí con sus botas de hombre marrones llenas de barro y bajó la escopeta.

—Te había tomado por uno de esos chicos que han estado matando aves en el valle. Pero tú eres nuevo. ¿Dónde vives?

—Pues… —dije mirando a mi alrededor—, tal vez en una de las colinas —logré decir. Ni siquiera sabía mi dirección—. Cerca hay una valla de travesaños de ferrocarril.

—¡Ah, la vieja casa de los Carlson! —exclamó—. Me preguntaba a quién habrían engatusado para que alquilara esa pila de madera carcomida.

—A mi madre y a mi padre —respondí—. Maxine y Joshua Stone —añadí, y luego hice una pausa, preguntándome si podía pedirle que guardara la escopeta.

—¿Cazas, chico?

¿Por qué me hacía esta pregunta? Y de pronto recordé los disparos que Annie y yo habíamos oído. A lo mejor era la mujer del Coronel la que había estado disparando. Quizás había estado cazando, pero ¿el qué?

—No —respondí.

—¿Tienes una escopeta?

—No —repetí reculando lentamente—. Nunca he usado una —dije, y tampoco quería ver una demostración de cómo se hacía.

La mujer del Coronel no me iba a dejar ir tan fácilmente y a medida que yo reculaba ella avanzaba con pasos lentos y seguros hacia mí.

—¿Nunca has disparado a un pájaro en tu vida? ¿O matado a uno? ¿O ni siquiera ahogado a un gatito o lanzado a un cachorro a un arroyo?

—No —respondí revolviéndoseme las tripas. Esta mujer estaba loca de atar. ¡Qué cosas más horribles decía! ¿Por qué me preguntaba eso?

Ella apretó algo —no era el gatillo por suerte, sino tal vez el seguro— y se colgó la escopeta al hombro.

—Pues mi valle te ha dejado lleno de picaduras. Algo debes de haber hecho para ganártelas.

¡Oh!

—Le he dicho algo a Annie que no debería haberle dicho.

—¿La niña con cáncer? —preguntó ella clavando sus ojos en mí—. Te gusta hacer sufrir a las niñas enfermas, ¿es eso, verdad?

—¡No! —farfullé—. No. En absoluto. Estaba intentando decirle qué es lo que me gustaba del valle, lo flipante y especial que era. —Decidí decir «flipante» en lugar de «mágico» para que no me tomara por un chiflado. Pero por el brillo de sus ojos vi que la esposa del Coronel sabía a lo que me refería—. Estaba intentando decirle por qué me gusta estar en el valle… y Annie lo malinterpretó. Tengo que encontrarla para disculparme.

—Cualquier chico que vea que el valle es… *especial* no puede ser malo, con picaduras de abeja incluidas o sin ellas —afirmó. Se dirigió caminando ruidosamente a la casa y me hizo una señal para que la siguiera—. Estás muy lejos de tu casa, casi tan lejos como del campamento al que Annie se dirige. Móntate en el *kart* que te llevaré a casa. Ya irás tras ella mañana. Si no me equivoco (sé cómo son las jovencitas porque yo también lo fui en la Edad de Piedra), no escuchará ninguna de tus explicaciones hasta por lo menos el martes. Dale tiempo para que se le pase el enfado.

La esposa del Coronel me iba a llevar a casa. Me sentí aliviado y aterrado a la vez.

Sabía que no debía subir a un coche con un desconocido. Y esta mujer lo era sin duda. Pero no era un coche, como descubrí al cabo de varios minutos, sino el *kart* más gigantesco y sorprendente que había visto jamás. Y ya era muy tarde. Mis padres me iban a echar una bronca descomunal por volver a esas horas y yo no tenía idea de cómo encontrar mi casa. Tenía que confiar en alguien.

La anciana me entregó un casco como el suyo —de color negro con unas llamas rojas y anaranjadas pintadas en él— y me dijo que me lo pusiera. Me lo abroché con la hebilla y me agarré a la barra recubierta de espuma donde antes debió de estar la portezuela.

Me aferré a ella con todas mis fuerzas muerto de miedo. Estuviera loca o no, la mujer condujo como una posesa. Circulando en medio del viento y del estrépito del motor —sonaba como cuarenta sopladores de hojas funcionando al unísono—, la oí gritar «*Yee-haw!*», como un vaquero al disponerse a bajar por una pendiente enorme. El estómago me dio un vuelco: era tan terrorífico y trepidante como cualquier montaña rusa a la que me hubiera montado.

De pronto apareció una curva muy cerrada. Íbamos demasiado aprisa. Por un segundo me pregunté si la mujer del Coronel estaría intentando matarme, si nos íbamos a estrellar. Pero ella pisó el freno en el último momento, derrapando solo un poco en la gravilla que había junto al borde del camino y luego aceleró para trepar por la siguiente cuesta.

A los pocos minutos me olvidé de estar asustado. Era lo más divertido que me había pasado desde..., bueno, probablemente desde nunca.

—Allí está el campamento de la chica con cáncer —la oí gritar en medio de la ráfaga de viento. La mujer del Coronel me señaló con el dedo, al otro lado de un valle más pequeño que el de la cascada, un cobertizo rojo rodeado de varias cabañas que parecían establos de cabras. ¿Eran eso los bungalós? Había un lago rodeado de lodo —más bien era una charca— con un bote de pesca amarrado a una estaca en uno de los extremos. Indudablemente no era una piscina. Y tampoco había ningún caballo, o jardín, o... nada más que pudiera ver al menos desde donde me encontraba.

No era ni por asomo lo que yo me había imaginado de un campamento para chicas como Annie. A decir verdad, era... horrible. ¿Eso era lo mejor que podían hacer para un puñado de niñas que se estaban muriendo de cáncer?

—Tu casa queda allí —gritó la mujer del Coronel subiendo a todo gas a la cima de la colina y luego paró el motor—. ¿La ves?

Allí estaba, con el tejado asomando apenas por entre los robles que se alzaban frente a ella.

—Sí, la veo —respondí preguntándome por qué se había detenido.

—En este caso bájate y ponte en marcha —apostilló—, porque tengo un asunto que arreglar con otros chicos que viven dos colinas más allá. Están matando pájaros. Los he oído disparando hace unas horas. Si me doy prisa, los atraparé con las manos en la masa antes de que regresen a su casa —añadió con una sonrisita, y luego cogió de detrás del *kart* la escopeta y la puso en el asiento que yo acababa de dejar vacío.

Apenas tuve un segundo para dejar el casco antes de que se largara a toda pastilla, lanzando pedacitos de gravilla por los aires y una nube de gases y polvo por el tubo de escape.

En cuanto la mujer del Coronel se fue y el rugido del motor se desvaneció a lo lejos, me di cuenta de lo silencioso que era el valle. En esta parte de la colina en cambio se oían un montón de sonidos producidos por el hombre: un cortacésped, la música de una emisora de radio…, mi madre llamándome no solo con un deje de pánico en la voz, sino en un tono furioso.

¡Oh, no, la que me esperaba! Volví corriendo a casa, deseando estar de nuevo en el valle rodeado de viento, pájaros, el murmullo de las hojas y la risa de Annie.

Capítulo 12

Mamá me dijo que estaba castigado para el resto de mi vida. Esa noche me mandó a la habitación. Pero entonces la bocazas de Laura le recordó que yo estaba en mi lugar favorito, y mi madre, cambiando de opinión, me obligó a quedarme en la sala de estar con el resto de la familia.

La sala de estar era la parte más ruidosa de la casa. Carlie estaba haciendo entrechocar los bloques de madera con los que jugaba mientras papá miraba *Jungla de cristal* a todo volumen. Mamá se dedicaba a cerrar estrepitosamente los cajones de su mueble de oficina colocado en un rincón de la sala que había decidido convertir en su despacho y Laura estaba hablando por teléfono. Aunque no sé cómo podía oír lo que su amiga le decía.

A mí por supuesto me dolía la cabeza. Y el dolor hizo que me acordara de Annie. Sus dolores de cabeza debían de ser mucho peores. Y encima la había hecho sentirse fatal. ¿Cómo podía pedirle perdón? Aunque ahora supiera dónde quedaba el campamento, no podía ir a verla porque mamá me estaría vigilando como un halcón.

No entendía por qué mi madre se había preocupado tanto al ver que me había ido. Yo no me había hecho daño. Ni me había advertido ella que planeara llevarnos a comer a toda la familia a un restaurante de Austin. De haber sabido que me había incluido en sus planes no me habría largado.

Probablemente.

Lancé un suspiro y me froté de nuevo el punto de acupuntura indicado para aliviar el dolor de cabeza. Y aunque lograra ver a Annie, no sabía cómo decirle que lo sentía. Se había disgustado mucho conmigo. Hasta se le habían saltado las lágrimas y todo, pensé. Había hecho llorar a una chica con cáncer. ¿Acaso había algo peor que eso?

Me merecía el dolor de cabeza.

Al día siguiente, sin embargo, recibí más de lo que me merecía: ocuparme de Carlie Stone, a la que le estaban saliendo dos dientecillos, durante nueve horas hasta que mamá volviera de trabajar.

—Laura —repetí pegado a la puerta del baño—, ¿vas a salir de una vez? Tengo que coger un pañal para Carlie —le solté como excusa.

Mis repetidos intentos durante toda la mañana de sacar a Laura del lavabo para poder usarlo fracasaron estrepitosamente. Tendría que acabar haciendo pis en una mata, y encima a Carlie le encantaba la idea. Estaba tan entusiasmada con la posibilidad de hacer sus cosas en el campo que desde entonces se negaba a llevar pañales. Ahora, en cuanto le ponía uno, lo hacía trizas.

—Te he dicho que salgo enseguida —gritó Laura.

—¡Ya llevas dentro del baño una hora y media! —chillé sorprendiéndome por haber levantado la voz. Se ve que a mi padre también le sorprendió.

—Vaya, ¿eras tú el que gritaba, Peter? —dijo fingiendo propinarme un puñetazo en el brazo mientras cruzaba el pasillo cargado con un amplificador del año de la pera que le había comprado a Laura en un mercadillo varios meses antes para que pudiera practicar ella también mientras él tocaba la batería—. Procura no reventarme los tímpanos, hijo.

Lo fulminé con la mirada a sus espaldas. El amplificador era una de las razones por las que yo creía que nos habían desalojado. Tenía que haberle cortado el cable cuando papá lo trajo a casa. Me habría ahorrado un montón de problemas.

—¡Peep! —gritó Carlie plantada a mi lado, con el culo al aire. Ese día había aprendido a escaparse del parque.

—¡Carlie, no puede ser! ¿Cinco pañales? La próxima vez te pondré una funda de almohada.

Se me ocurrió que la funda de almohada de Laura sería perfecta para ello.

Cuando ya la había agarrado y estaba a medio camino de la sala de estar, oí a papá llamándome.

—¿Peter? Hay alguien que pregunta por ti.

¿Alguien que pregunta por mí? ¡Annie!, pensé. Arrojé la almohada, le puse a Carlie la funda a modo de pañal atándosela bajo un brazo, y fui volando a la puerta. Estaba abierta de par en par y papá se encontraba fuera hablando con alguien.

No era Annie, me dije decepcionado. Oí voces masculinas. ¿De chicos?

—Aquí tienes, Carlie —murmuré dándole varias galletitas integrales de granola tras depositarla en el parque.

Se suponía que solo debía comérselas en la trona —porque mamá decía que se transformaban en cemento de galleta cuando las masticaba—, pero no tenía un pañal para ponerle y no iba a salir fuera a hablar con unos desconocidos con un bebé desnudo en mis brazos.

Al salir al porche me alegré más aún si cabe de haber dejado a Carlie dentro de casa.

Porque los dos chicos que me esperaban afuera se presentaron con un buitre de cabeza roja muerto. Eran los que habían estado matando aves en el bosque.

No sabía qué pensar, aparte de: *¡Qué bestia!* El chico que sostenía colgando el buitre muerto junto a sus pies era más alto que yo, lo bastante como para que la cabeza del ave rapaz rozara el suelo. También parecía mayor, tal vez tenía catorce años. El otro aparentaba diez, o quizás once, pero sus ojos le brillaban con la misma dureza que había visto en algunos chicos de San Antonio. Como si quisiera darme un puñetazo en la barriga para ver qué había desayunado. Sin duda no era un chico normal de diez años.

Me miraron de arriba abajo y vi que el mayor intentaba ocultar una sonrisita burlona. Fue cuando me di cuenta de que aún sostenía el pañal que Carlie acababa de destrozar. Lo arrojé detrás de la puerta de entrada y salí a la luz del sol.

—¡Eh, Peter! —exclamó papá sin darse cuenta de las miraditas que nos estaban echando a los dos—. Estos chicos viven al borde del camino, a eso de un kilómetro y medio de distancia de aquí. Conocí a sus padres en la gasolinera cuando tu madre y yo visitamos el lugar por primera vez. ¿Recuerdas que te hablé de ellos? ¿Por qué no vais a jugar los tres un rato?

El chico más joven se echó a reír.

—Sí, ven a *jugar* con nosotros —dijo con sorna.

—Estoy castigado —le recordé a papá hablando en voz baja. Ni siquiera le mencioné el buitre gigantesco muerto que el chico de más edad balanceaba, con la cabeza de color coral manchando el suelo de sangre.

—Pues ahora ya no lo estás —repuso papá, dándome un empujoncito para que acabara de salir. Tropecé en la entrada y casi me doy de bruces contra uno de los chicos—. Te han invitado a ir a su casa. Y tú madre no se enojará porque no se va enterar. Simplemente vuelve a la hora de comer.

Cerró la puerta antes de que se me ocurriera alguna otra excusa que la de «Estos chicos tienen pinta de meterse en problemas», que era justo lo que estaba pensando.

—Te llamas Peter, ¿verdad? —dijo el más joven—. Yo soy Jake.

—Y yo Doug —terció el otro balanceando con un poco más de fuerza el buitre hacia mí. La cabeza del pobre animal me rozó la rodilla. Sabía que Doug estaba esperando ver cómo reaccionaba yo. Si me asustaba. Me encogí de hombros sin más y me aparté para que no me diera con el buitre en la barriga.

—¿Te gusta cazar? —me preguntó Jake acercándose a mí.

Eché a andar por el camino, aunque sin apretar el paso. Jake se sacó algo del bolsillo —una chuche de regaliz— y se la metió en la boca dejándola colgar entre los labios como un pitillo.

—No tengo una escopeta —repuse—. ¿Y tú?

—¿Cómo crees que hemos matado a este pajarraco? —se jactó Doung. Hablaba lentamente, como si tuviera que pensar cada palabra antes de pronunciarla—. ¿Con nuestras propias manos? —añadió con sorna, y los dos se echaron a reír.

—La próxima vez probaremos este sistema —sugirió Jake lanzándome una mirada, esperando a que dijera algo.

—¡Me gustaría verlo! —mentí. No me imaginaba mirando al buitre y pensando *Me gustaría retorcerle el pescuezo.* Los pájaros me parecían… demasiado frágiles y hermosos. Pero nunca les diría a esos chicos ni a nadie lo que sentía.

—¿Qué clase de escopetas tenéis? —pregunté en su lugar.

—De perdigones —repuso Jake—. Papá nos quitó la del calibre veintidós después de lo que pasó con el gato —me lanzó de nuevo esa mirada tan peculiar, retándome a decir algo.

¿El gato? No pensaba siquiera preguntarle sobre él. Seguimos bajando por el camino hacia una calle en la que creí haber visto una especie de caravana.

—Estabas castigado, ¿verdad? —dijo Jake golpeando una piedra con el pie—. ¿Qué hacen tus padres cuando te castigan?, ¿te prohíben ver la tele y otras cosas por el estilo?

—Sí —repuse—. Y además me ponen un montón de tareas.

—Solo te castigan, ¿eh? ¿Y no te hacen algo peor?

—Pues no.

—¡Qué suerte tienes! —farfulló limpiándose la nariz con el brazo—. Ojalá también mi padre solo me castigara.

¿Se *alegraba* de que solo me castigara? Me pregunté qué les pasaba a esos chicos cuando se metían en problemas. Abrí la boca para decir algo, pero Jake me lanzó una mirada tan acerada que se me paralizó la lengua.

—¿Por qué te han castigado? —dijo Doug, y se echó el buitre al hombro.

Tragué saliva.

—Me escapé de casa.

—¿Y adónde fuiste? —preguntó Doug masticando la chuche de regaliz en forma de palito. No cesaba de frotarse los dedos, retorciéndoselos a la altura de las uñas y las yemas. Tenía las manos cubiertas de tierra y sangre. Supuse que era del buitre.

—Hay un valle deshabitado... —empecé a decir.

—¿El valle de la muerte? —preguntó Doug gritando—. ¡No pienso bajar a él ni loco!

¿El valle de la muerte? Sacudí la cabeza preguntándome si se estaría refiriendo a otro lugar, porque el valle del que yo estaba hablando era maravilloso.

—No creo que se trate del mismo valle. El lugar al que yo fui era un valle inmenso con un riachuelo al fondo, una especie de árbol gigantesco y...

—¡Ese es! —profirió Jake—. Vaya, ¿fuiste hasta el fondo del valle de la muerte? —preguntó escrutándome para catalogar todas las picaduras de mosquito, rasguños y picaduras de abeja.

En ese momento caí en la cuenta de que ambos estaban cubiertos de picaduras, como si los mosquitos y las abejas se hubieran ensañado con ellos.

—Por lo visto los bichos la tomaron contigo ahí abajo, ¿verdad? —dijo Jake—. A nosotros nos ocurrió lo mismo. Ándate con ojo. Aunque los insectos son al fin y al cabo los más inofensivos. En ese valle puedes encontrar las mejores piezas de caza, pero... —añadió lanzándole a su hermano una mirada de complicidad— te pueden pasar cosas horribles. Cosas que no tienen ningún sentido.

—A mí también me dio esa sensación —respondí. De pronto me acordé de los disparos del día anterior—. ¿Habéis estado cazando por el valle?

—Ayer —afirmo Doug—. Conejos. Casi le levantamos la tapa de los sesos a uno. Hasta que aparecieron los bicharracos.

¿Los bicharracos? Estuve en un tris de preguntarle a qué se refería, pero entonces comprendí que, cuando los enjambres de mosquitos y abejas habían ido volando a la cima de la colina como temiendo llegar tarde, era para picar a estos chicos. Para echarlos sin contemplaciones del valle.

De modo que el valle *era* mágico. Sabía cosas.

No respondí. Seguimos caminando, pero Jake no dejó de hablar como si yo le hubiera hecho una pregunta.

—Nos topamos con el conejo en esa parte de la colina, pero entonces corrió a esconderse al interior del valle. Saben que allí están a salvo.

—Eso creían —terció Doug.

—Sí, hasta el momento estaban seguros. Pero ahora con este pajarraco se nos ha ocurrido algo —afirmó Jake tirando de una de las alas del buitre y extendiéndola—. Para cazarlo trepamos hasta la cima de la colina. Estaba posado en una rama muerta en el borde del valle. Lo teníamos tan cerca que...

—¡Tan cerca! —repitió Doug soltando unas risitas.

—¡Cierra el pico que lo estoy contando yo! —le espetó Jake—. Estábamos justo sobre él. El viento venía del valle como de costumbre. El buitre no nos olió. Como no estábamos en el valle, este no nos pudo echar. Y nos acercamos sigilosamente por detrás del buitre con las escopetas de perdigones.

—¡Pum! —gritó Doug sacudiendo grotescamente al ave.

—¿Qué pensáis hacer con él? —pregunté señalando con la barbilla al ave rapaz, esperando que no se me volviera a revolver el estómago la próxima vez que la mirara. Visto de cerca, no era un animal hermoso, estaba escuálido y su cabeza me recordaba a un viejo furibundo. Pero había visto miles de buitres de cabeza roja volando en el cielo, planeando en las corrientes de aire cálido. Matar a uno por diversión... era nauseabundo.

—Lo que no vamos a hacer es comérnoslo —afirmó Doug—. Los buitres de cabeza roja son asquerosos —añadió como si ya hubiera probado la carne de uno.

Jake asintió con la cabeza.

—Lo arrojaremos al porche de la señora Empson, la mujer del Coronel.

¿Iban a dejar un buitre muerto delante de la puerta de una anciana que —aunque estuviera un poco pirada— era inofensiva?

—¿Por qué? —pregunté sorprendido.

—La odiamos —repuso Doug mientras Jake inspeccionaba algo a lo lejos—. Fue la que hizo que me quitaran la escopeta.

—¿Que te la quitaran?

—Le dijo a papá que estaba disparando a las mascotas.

—¡Ah! —exclamé recordando la pregunta de la anciana de «¿Le has disparado a un gato o a algún otro animal?»

Dough no me respondió, se limitó a echarse a reír y luego se puso a agitar el buitre muerto alrededor de su cabeza como si me lo fuera a lanzar. Lo esquivé.

Me iba a poner enfermo si seguía con esos chicos un segundo más.

—¡Eh, se me ha ocurrido una idea mejor! —exclamó Jake—. Vayamos al campamento de verano y arrojémoslo al lago. Asustaremos a las chicas.

—¿Te refieres al campamento de esas chicas enfermas? —pregunté horrorizado a más no poder. ¿Quién había criado a esos chicos, Jack el Destripador y Freddy Krueger, el asesino en serie?

—No, está en Doublecreek —respondió Jake sacándose de la boca la punta de la chuche y ofreciéndomela después de habérselo pensado un poco—. ¿La quieres?

Creo que intentaba ser amable conmigo. Sacudí la cabeza.

—No, gracias —mascullé.

—Es un campamento para chicas con cáncer, ¿verdad? —dije después de que Jake se la diera a Doug y de que este se la metiera en la boca con la misma mano con la que había estado sosteniendo al buitre muerto. Y luego se lamió el dedo.

—No, no es más que un campamento artístico. ¿Por qué creías que era para chicas con cáncer?

—He conocido a alguien —empecé a decir, pero de pronto enmudecí, no quería que esos chicos supieran nada de Annie.

—¿A quién? —preguntó Jake con ese brillo acerado en los ojos—. ¿A una chica?

—Me tengo… que ir pitando —le respondí, poniéndome las manos en la barriga.

—¿Qué te pasa? —preguntó Doug echándose el buitre muerto al hombro.

¿Qué les puedo decir como excusa?, me pregunté.

—Me siento mal —les mentí—. Tengo diarrea. No me puedo aguantar más. Debo volver a casa.

—¡Hazlo en los matojos, Peter! —gritó Jake a mis espaldas mientras me iba apresuradamente.

Les oí a él y a su hermano partirse de risa y burlarse de mí todo el camino de vuelta a casa, porque en el campo los sonidos se propagan por el aire. Pero me daba igual mientras se olvidaran del campamento. Tenía que avisar a Annie para que se mantuviera lo más lejos posible de esos chicos. Y también debía disculparme con ella.

Pero estaba castigado para siempre y no sabía cuándo volvería a tener otra oportunidad como la de aquella mañana. Papá no me esperaba hasta la hora de comer.

Podía ir monte a través, llegar al campamento... y averiguar por qué los dos chicos que vivían en este lugar no creían que fuera un campamento para chicas con enfermedades graves.

¿Me había mentido Annie? Después de todo era prácticamente una desconocida. A lo mejor no era la mujer del Coronel la que estaba chiflada, sino ella.

Pero mientras me colaba por entre la alambrada de espino y corría por detrás de una hilera de árboles dirigiéndome al campamento, sabía que los que estaban más locos en esa parte de la colina eran los chicos cargados con un buitre muerto que acababa de dejar.

Y tal vez, además de locos, eran peligrosos.

Capítulo 13

Oí la música antes de poder ver las instalaciones del campamento por entre los árboles. Era… horrenda. Como si alguien hubiera aprendido a tocar la guitarra con tres lecciones fáciles y creyera que esto le daba derecho a torturar a los demás con su música. Era como mi hermana tocando varios meses atrás.

Dejé de moverme a hurtadillas y eché a andar con aire seguro al divisar las instalaciones a lo lejos. No quería que creyeran que les estaba acechando o algo parecido si alguien me veía. Al observarlas más de cerca descubrí que lo que parecían establos de cabras no eran más que unos bungalós con tejado de metal que necesitaban una buena mano de pintura o tal vez tres.

La música venía del cobertizo. Los campistas debían de estar allí. Me dirigí poco a poco a la gran puerta de dos hojas, abierta de par en par para que corriera la brisa, y me quedé plantado a un lado para que mis ojos se adaptaran a la tenue luz del recinto.

En el interior había unas mesas largas, cubiertas con material propio de trabajos manuales: palitos de helado de todos los tamaños habidos y por haber y ovillos de hilos de todos los colores imaginables, cartulina y pilas de periódicos, y también una hilera de pistolas encoladoras, fieltro y retales de tela. En el lugar parecía haber material de trabajos manuales para entretener a una clase de párvulos hasta el día del Juicio Final.

Pero las niñas sentadas a las mesas eran mayores. Demasiado mayores para hacer manualidades con palitos de helado. Por su estatura concluí que debían ir a tercero de primaria y a los cursos superiores. Todas eran chicas.

¡Vaya! No había contado con este detalle. Supongo que era lógico que no fuera un campamento mixto.

—¿Puedo ayudarte? —dijo la supervisora del campamento, o al menos la persona de más edad de la sala, levantándose y dirigiéndose hacia mí. Era corpulenta, como si le hubieran concedido una beca para jugar a vóleibol en la universidad, pero cordial—. ¿Te has perdido?

—No, señora —respondí.

Las chicas de la mesa se echaron a reír. Salvo Annie, sentada en uno de los extremos, apartada en cierto modo de las demás. Estaba haciendo algo, lo mismo que las otras chicas, pero ella ya lo había acabado. Era un objeto hecho con hilo y palitos. Annie no me miró a la cara. No quería hacerlo.

—¿Puedo ayudarte? —repitió la supervisora con voz adusta esta vez.

—¡Oh, nnn… no! —tartamudeé y luego respiré hondo—. Es que… oí que mi prima estaría en este campamento esta semana. Y quería saludarla. Vivo cerca de aquí.

—¿Tu prima? —dijo ella volviéndose hacia las chicas—. ¿Es alguna de vosotras la prima de este chico?

—¡Yo lo seré! —exclamó una de ellas.

Las otras se pusieron a gritar «¡Oooooooh!» y noté que la cara se me ponía roja como un tomate.

Annie se levantó.

—Yo soy su prima —afirmó.

De pronto se hizo un gran silencio. Las otras chicas dejaron de bromear, ni siquiera la miraban. ¿Qué había hecho Annie para que todas la detestaran a las pocas horas de empezar el campamento?

Y entonces me vino a la cabeza lo mandona que era, su enfermedad, su inteligencia y su pelo rojo rizado, y comprendí que seguramente no había necesitado hacer apenas nada para que sus compañeras la detestaran.

—¿Puede salir un momento a hablar conmigo? —le pedí a la supervisora—. De todos modos no me puedo quedar mucho rato.

—Bueno…, ¿es tu primo? ¿Y vive en un lugar tan remoto? —le dijo la supervisora a Annie sacudiendo la cabeza—. Puedes salir unos minutos si quieres. Ya has terminado tu proyecto artístico principal de hoy, ¿verdad? —añadió cogiéndole el objeto que había hecho con hilos. Y tras mirarlo, se lo devolvió—. Eres toda una artista, Annie Blythe. ¡Es el mejor Ojo de Dios que he visto en años!

—Gracias —repuso ella, y me apartó de en medio con el hombro al salir del cobertizo sin dignarse siquiera a esperarme. Yo la seguí. Se fue directa al lago de aguas turbias.

Si ella planea matarme y echar mi cadáver al lago, supongo que este lugar es ideal para que no lo encuentren, pensé riéndome por debajo de la nariz.

—¿Qué pasa? —dijo ella, deteniéndose y mirándome de reojo.

Le conté lo que acababa de pensar y también se echó a reír.

—No voy a asesinarte. Aunque posiblemente te lo merezcas.

Nos sentamos en el borde de la plataforma de madera cubierta de fango que había al final del lago y nos pusimos a contemplar las libélulas y las avispas zumbando por encima del lago y de las lentejas de agua.

—¿Por qué has venido? —me preguntó Annie al cabo de un rato.

—Para rescatarte del trabajo manual con hilos —le acabé diciendo—. Y para pedirte perdón. Siento mucho haberte dicho aquello.

Annie alzo la mano.

—Vale, he estado cavilando sobre ello y ahora sé a lo que te referías. Yo también fui al valle por la misma razón —observó esbozando una leve sonrisa mientras contemplaba el lago—. La primera vez que te vi en la Laguna de la Serendipia me enojé mucho, porque creí ser la primera persona del mundo que había descubierto el lugar.

—¿La Laguna de la Serendipia?

—Sí —respondió ella sosteniendo su trabajo manual por un extremo del hilo y desenrollándolo poco a poco. Arrancó una flor, la ató al cabo del hilo y luego la fue bajando al agua, desenroscando el hilo como si fuera un sedal—. ¿Te gusta el nombre de Laguna de la Serendipia? ¿O prefieres el de Manantiales Efervescentes?

—¿Por qué quieres ponerle un nombre?

—No lo sé —repuso ella encogiéndose de hombros—. Tal vez así es más real. De todos modos, he estado leyendo mi lista de palabras favoritas y estas dos son las que más me gustan.

—¿Tu lista de palabras favoritas? —dije sonriendo. Era de esperar que Annie tuviera algo así.

—Sí —respondió sacudiendo el hilo para que la flor que colgaba de la punta hiciera ondear el agua—. Siempre me han gustado las palabras difíciles, sobre todo...

—Ya me lo imaginaba —le interrumpí—, porque la mitad de las veces no sé de lo que me estás hablando.

—¿Has terminado de hablar? —dijo ella esperando a que acabara, como una profesora. Le saqué la lengua como respuesta.

—Muy bien. Pues siempre me han gustado las palabras, en especial las hermosas. Las palabras melifluas. De hecho *melifluo* es una de mis preferidas.

—¿Qué quiere decir?

—Que suena muy dulce. Pruébalo, dila. ¿No te parece muy dulce cuando la pronuncias, como un caramelo masticable o algo por el estilo?

Nos quedamos sentados allí, diciendo la palabra *melifluo* en voz baja durante algunos segundos. Me sentí como un tontorrón al hacerlo, pero no había nadie por los alrededores. Y ella tenía razón, la palabra casi sabía dulce y todo.

—Ahora intenta decir *suntuoso* —me propuso Annie—, o *susurro.* O la que ahora es mi preferida desde que estoy en el campamento: *lacrimógeno.*

—¿Lacrimógeno? —repetí, esta ya la conocía, la había estado deletreando el año anterior. Significaba algo que te hacía llorar—. ¿Están las otras chicas del campamento tratándote mal?

—Sí. Bueno, no —dijo Annie en voz baja—. En realidad no. Últimamente no soy una persona demasiado sociable que digamos. Como es natural, creen que soy muy rara. Tengo que descansar mucho y la supervisora les ha dicho que tenía leucemia. Mi mamá ha hecho una escena esta mañana. Le cuesta mucho estar separada de mí.

—¡Qué rollo! —exclamé—. O sea que este campamento no es para chicas con enfermedades graves a las que les conceden todo cuanto desean, ¿verdad? —me atreví por fin a preguntarle.

—No —repuso Annie—. No lo es. Solo te conceden un deseo. A mí ya me lo concedieron a los ocho años al remitirme el cáncer: fue ese viaje a Nueva York del que te hablé. Se suponía que era para celebrar el gran acontecimiento. ¡Viva, había sobrevivido! Así que fui a todos los museos habidos y por haber. Allí vi un montón de arte increíble. Arte de verdad.

—¿Y ya no te concederán otro viaje, otro deseo? ¿Ni siquiera... ahora? —pregunté. No me parecía justo.

—No —respondió Annie levantándose y luego enrolló el hilo lentamente—. Solo te conceden un deseo. Mamá me ha pagado este. Y se lo agradezco mucho. Pero me hubiera gustado...

—¿Qué?

—Se suponía que era un campamento artístico —dijo echándose a reír—. Pero para serte sincera no tuvimos demasiado tiempo para averiguar si era bueno. Los médicos se enojaron porque mamá dejó que viniera. Creímos que en él pintaría, haría escultura...

—¿Y no lo haréis al final de la semana? —pregunté esperando por su bien que pudiera hacer algo que le entusiasmara.

—¡Sí, claro, haremos figuras con plastilina! —exclamó Annie lanzando un suspiro—. Quiero volver al valle —añadió arqueando una ceja—. ¿Quieres escaparte conmigo? Tengo un saco de dormir y una cantimplora. Todo cuanto necesito son varias barritas de granola, con eso ya tengo bastante al menos para una semana.

—¿Una semana? Necesitaremos más cosas que barritas de granola y un saco de dormir —afirmé pensando en la lista que había hecho el año anterior. Había sido bastante larga—. También nos hará falta una mochila, tal vez un cuchillo, tabletas para purificar el agua...

—¿Un anzuelo?

—¿Vas a sacarle las tripas a los peces que pesques? —pregunté—. Porque yo no pienso destripar los tuyos y los míos.

Annie hizo una mueca de asco.

—¡Puaj, no! En este caso volvamos a las barritas de granola. O a quedarnos aquí —dijo echando una mirada a los bungalós a nuestra espalda. Vi algo en sus ojos, ¿tal vez desesperanza? Yo también me había sentido así en el pasado. Atrapado.

En aquella ocasión intenté encontrar una solución. Pero cuando por fin empezaba a maquinar un plan para alcanzarla, aunque todavía no lo hubiera puesto en práctica... todo se me había ido al garete. Y ahora estaba tan atrapado como Annie. Pero al menos no tenía que hacer trabajos manuales con hilos de colores.

—Me parece que estamos atrapados en este lugar —afirmé empujándola un poco hacia el agua en plan de guasa—. Cuando estés dispuesta a destripar un pescado dímelo y te ayudaré a librarte de este campamento durante varios días.

—¿Me lo prometes?

Era extraño. Sabía que estábamos bromeando, pero parecía como si habláramos en serio. Annie debía de aborrecer el campamento.

—Claro —respondí—. Solo tienes que decir la palabra.

—¿Qué palabra? *¿Lacrimógeno?*

—No. Tripas de pescado.

Ella se echó a reír y ni siquiera me tomó el pelo por haber dicho tres palabras. Una perca pequeña intentó mordisquear la flor, pero Annie la alzó sacándola del agua antes de que el pececillo se saliera con la suya.

—No me escaparé... todavía —afirmó—. Pero, Peter, he estado pensando. Quiero volver al valle y crear arte del auténtico. Podría transformar este lugar en una exposición de arte al dibujarlo e incluso fotografiarlo. He traído una cámara. —Annie hizo una pausa—. Podríamos hacerlo juntos.

No sabía qué decir. No quería pasar todo el verano con ella, pero le debía una disculpa... y hacer arte del *auténtico,* fuera eso lo que fuera, parecía divertido.

—¿Te puedes escabullir del campamento durante un rato sin que se den cuenta? —le pregunté en voz baja. Había visto a la supervisora salir del cobertizo. Nos estaba buscando.

Annie me miró con cara de determinación.

—Lo haré. Mañana, o tal vez pasado mañana. Espérame en... ¿la Laguna Evanescente?

—No —repuse—. Laguna de la Serendipia suena mejor.

—¡Vaya hoy día todo el mundo se cree con derecho a opinar! —me soltó Annie—. ¡Ya voy! —le gritó a la supervisora, que la estaba llamando ahora con más insistencia—. En el campamento nadamos por la tarde —me susurró volviéndose hacia mí—, y hoy no pasaré la prueba de natación aposta. Fingiré, como de costumbre, ser una pobre niña muy enferma y entonces me dejarán hacer la siesta.

—¿La siesta?

Annie se encogió de hombros.

—Al menos dispongo de un bungaló para mí sola. Mamá insistió en ello. Nadie descubrirá que me he ido. Les diré que los medicamentos para el dolor de cabeza me hacen dormir durante horas. Ven a buscarme a las dos, ¿vale?

No pensaba decirle que me habían castigado. Si ella iba a escaparse engañando a un campamento repleto de gente, a mí ya se me ocurriría algo para hacer que papá me dejara salir.

—¡Aquí estaré! —respondí—. Pero aún no acabo de entender del todo a qué te refieres al decir que transformarás el valle en arte, porque ya es hermoso de por sí.

—¡El arte no es hermoso sino transformador! —afirmó Annie girando sobre sí misma—. El arte auténtico te cambia, te guste o no. El arte de verdad no consiste en enrollar hilos alrededor de palitos —añadió mirando el Ojo de Dios que sostenía en la mano— o en colorearlos, sino que marca una diferencia. Tiene un significado. Te lo demostraré mañana.

—¿Has acabado, Annie? —le dijo la supervisora acercándose a nosotros. Intentaba no parecer alarmada por el arrebato apasionado de Annie, pero no era buena fingiendo—. Es hora de hacer los marcos de conchas para fotos. No te lo querrás perder, ¿verdad?

Annie me lanzó una mirada desesperada. Sabía lo que estaba sintiendo. Seguramente yo ponía la misma cara cada vez que Laura y papá conectaban los amplificadores y que mis padres se peleaban. Entonces la cabeza siempre me empezaba a doler.

—¿Vives lo bastante cerca como para volver andando a tu casa? —me preguntó la supervisora con desconfianza—. ¿Dónde vives exactamente?

—A un kilómetro de aquí —afirmé señalando con vaguedad hacia la casa de Doug y Jake.

La supervisora sacudió la cabeza.

—¿Y qué haces todo el día vagando por el monte?

Pensé en el valle y en estar en quietud, y supe que esta mujer nunca lo entendería.

—Cazo —le mentí intentando pensar en lo que Jake respondería. El corazón me empezó a martillear mientras hablaba—. Sobre todo alimañas —le solté en un marcado acento texano para disimular el temblor de mi voz—. Armadillos. Buitres. Esa clase de animales. Con una escopeta de perdigones.

—¿Ah, sí? —dijo la supervisora horrorizada.

—Pues sí —repuse subiéndome los pantalones cortos con los pulgares. ¿Me estaba pasando? A Annie los ojos estaban a punto de salírsele de las órbitas. ¿Estaba furiosa conmigo? Tal vez debía largarme corriendo ahora, antes de que me arreara un sopapo…

La supervisora también me miraba con ojos desorbitados.

—¿Qué… haces con esos animales?

Me encogí de hombros

—Las comadrejas son muy sabrosas —añadí intentando seguir hablando para disimular—. ¿Quiere que le traiga alguna para que las pruebe?

—¡No!

Oí a Annie aguantarse la risa.

—¡Adiós, prima! —le dije mientras la supervisora se la llevaba a rastras.

—Saluda a tía Mabel y tío Fester de mi parte, primo Petey —gritó Annie por encima del hombro con ojos chispeantes—. Y no te olvides de invitarme al estofado de comadreja el próximo fin de semana.

—No lo olvidaré —grité.

Me fui corriendo a casa pensando en lo bien que me sentía. Dos días antes la idea de Annie deambulando por el valle —por mi valle— me sacaba de quicio. ¿Y ahora? La perspectiva de que estuviera en él me hacía sonreír de oreja a oreja.

Me pasé la noche buscando en internet palabras especiales y hermosas en el diccionario de lengua y en el de ideas afines, y mirando fotos de exposiciones de arte al aire libre hasta que Laura me echó del ordenador.

Creí entender aquello de lo que Annie me estaba hablando.

—¿Te lo has pasado bien con esos chicos? —me susurró papá después de cenar en cuanto mamá salió de la sala de estar. Lo capté. No le había dicho a mamá que me había dejado salir—. ¿Cómo se llaman?

—Doug y Jake —respondí—. Viste que habían matado a un buitre, ¿verdad?

—Sí, ¡qué impresionante!, ¿no te parece? —dijo mirándome con cara de no estar seguro de su respuesta, aunque contento.

Yo no habría usado la palabra *impresionante*, sino tal vez la de *cruel*.

—Mmm..., no ha estado mal.

—Parecen unos chicos bastante agradables, pese a gustarles los juegos un poco bestias —observó papá pasándose la mano por la cabeza como si estuviera palpando el tamaño de su calva—. Creo que será bueno para ti hacer amistad con ellos. A lo mejor podrías invitarles a venir a casa mañana.

¿Invitarlos a casa? Probablemente torturarían a Carlie para divertirse. No pensaba invitarlos nunca.

Papá esperó a que yo dijera algo, pero simplemente me encogí de hombros. Él se aclaró la garganta.

—A veces me preocupaba que no tuvieras demasiados amigos en San Antonio, ¿sabes? —me confesó—. Probablemente de ahí vinieron todos los... problemas. Aquí tienes la gran oportunidad de empezar de nuevo. Esos chicos podrían acabar siendo tus mejores amigos.

¿Mis mejores amigos? Me entraron ganas de vomitar. ¿Debía decirle lo del gato y lo que planeaban hacer con el buitre? ¿Lo que yo realmente pensaba de ellos? Probablemente le volvería a decepcionar. Papá no me entendía, nunca me había entendido.

Por lo visto quería que fuera como esos chicos. Probablemente lo siguiente que haría sería decirme si quería que me regalara una escopeta.

—Estaba pensando que... —dijo papá yendo hasta la puerta y asomándose por ella para comprobar que no hubiera nadie escuchando— no ha debido de ser fácil para ti mudarte a este lugar. Aquí no tienes a nadie con quien salir.

¡Si nunca he salido con nadie!, quise soltarle. Me quedé callado, pero vi el mismo pensamiento en sus ojos. Él no podía entenderlo. Papá era uno de esos tipos que le caía bien a todo el mundo, estaba riendo y gritando a todas horas, quedando siempre con sus amigos músicos cuando él y mamá podían contar con Laura para que hiciera de canguro.

Yo en cambio no había tenido ningún amigo en primaria, salvo un par de chicas que se fueron a vivir a otra parte en el segundo curso. A nadie le caía bien un chico tan callado y serio. Desde que había nacido, o al menos desde que tenía uso de razón, yo había sido así. En las fotos de mi infancia se podía ver que no sonreía en casi ninguna.

El silencio se prolongó de manera incómodamente larga hasta que papá carraspeó.

—Tengo una idea —dijo al fin—. Una forma de hacer amigos, tal vez con esos dos chicos. ¿Te gustaría que te comprara una escopeta de perdigones?

Casi me echo a reír. ¡Qué predecible era!

—Tal vez más adelante, papá —respondí.

De pronto se me ocurrió una idea luminosa, pero las palmas de las manos me empezaron a sudar solo de pensar en ella. Le mentiría a mi padre. En realidad nunca lo había hecho. Aspiré una rápida bocanada de aire.

—Mmm..., de hecho esos chicos tienen una de sobra. Me invitaron a ir a cazar con ellos mañana por la tarde, pero les dije que estaba castigado...

—¿Puedes volver a las cinco? —me susurró papá. Asentí con la cabeza, esperando que no se diera cuenta de mi cara enrojecida.

—¡Entonces puedes ir! —repuso él sonriendo—. Cuando era niño, siempre quise ir a cazar. Pero nunca lo conseguí. ¿Qué animales cazaréis?

Me acordé del comentario de Annie: no era la estación de caza.

—Pues alimañas —respondí—. Bichos. Ratas tal vez —añadí. ¿Había siquiera ratas en este lugar? Ojalá papá no me hiciera ninguna otra pregunta relacionada con la caza. Ni siquiera sabía manejar una escopeta. Y no quería que él se ofreciera a acompañarnos para enseñarme a hacerlo—. Tal vez un conejo.

—¡Formidable! —exclamó entusiasmado, y luego me dio un extraño achuchón rodeándome los hombros con el brazo—. ¡Mi hijo el cazador!

¡Ja! Por fin hacía algo que a papá le parecía bien. O al menos eso era lo que él creía.

¡Menudo idiota!

Pero, ¡eh!, por lo menos podría volver al valle. Y aunque lo hiciera a hurtadillas, me daba la impresión de que crear arte con Annie me permitiría lograr algo que nunca había imaginado alcanzar, sin escaparme de casa.

Ser feliz.

Capítulo 14

Escabullirme sin que se dieran cuenta fue la parte más fácil. Pero crear arte sin pinturas, papel ni ningún tipo de material, eso ya fue otro cantar.

Cuando aquella tarde llegué a la laguna, Annie no estaba allí aún. Intenté descubrir qué podía usar para hacer arte en medio de la naturaleza, pero no había más que agua, rocas, hojas y una rana toro gigantesca que armaba mucho más ruido que Carlie en un mal día. Arranqué algunas briznas de hierba y las entretejí creando una especie de aro, y mientras la esperaba hice más coronitas y las dejé flotando en el agua. Al cabo de poco los pececillos de la laguna las empezaron a mordisquear y luego se pusieron a saltar por ellas como minidelfines del Sea World.

Sonreí. Los pececillos saltarines centelleaban bajo la luz intermitente del sol, salpicándome más de lo que me imaginaba, armando un jaleo inusitado tratándose de unos simples peces. *Son bastante ruidosos*, pensé. *Estoy impresionado.*

Al poco tiempo los pájaros empezaron a gorjear como si aquello fuera un concurso o algo parecido, y los insectos posados en las matas comenzaron a zumbar y armar tanto escándalo que casi me hicieron castañear los dientes. Nunca creí que la naturaleza pudiera ser tan bulliciosa. Me acerqué un poco más a la laguna y descubrí algo. Las piedras que sobresalían del agua formando un reborde en la orilla amplificaban los sonidos. Tal vez deberíamos llamarla Laguna Amplificadora. O Laguna Reverberante. O…

—¡Hola, Chico Piedra! —gritó Annie llegando por fin—. ¿Qué estás haciendo?

—Nada.

—Pues disponemos de dos horas antes de que la supervisora del campamento me empiece a buscar desesperada, así que vayamos al valle y empecemos a hacer arte —dijo agachándose para sacarse las tobilleras de un tirón; luego las metió en la bolsa.

El tono de su voz hizo que la observara con más atención. Tenía la cara crispada, como si apretara los labios y los ojos para evitar que algo se le escapara. Tal vez era enojo o dolor.

—¿Qué ha pasado, Annie? —pregunté levantándome. Salté por encima de las piedras para llegar a su lado—. ¿Has tenido un mal día?

—Más o menos —afirmó—. Pero el arte hace que todo mejore. Lo aprendí en Nueva York.

Empezó a adentrarse en el valle y yo la seguí. No le pregunté por los detalles, detestaba que la gente me presionara para que les contara más de lo que me apetecía contar. Annie me explicaría lo que le había pasado a su debido tiempo. O no. Dependía de ella. Y como era de esperar, al llegar al arroyo que corría por el pie de la colina, empezó a hablar.

—Cuando tenía seis años, enfermé. Creyeron que era grave —dijo echándose a reír—, pero no esperaban que lo fuera tanto… De cualquier manera, recibí un tratamiento que duró dos años, o para ser exactos dos años y medio, y entonces empezaron a hablar de *remisión*. Yo le había estado dando la lata a mi madre para que me llevara al Museo de Arte Moderno de Houston, y cuando lo visité, me enamoré del arte. Al cabo de poco mamá entró en contacto con Make-A-Wish, y la asociación para niños con cáncer me regaló el viaje a Nueva York para que pudiera visitar los museos más importantes de la ciudad. Fue maravilloso, nunca creí que se pudiera hacer con cualquier elemento obras de arte tan emotivas. Había pinturas, por supuesto, pero también vi obras de arte realizadas con desechos, cemento y grafitis, y materiales naturales, como piedras, ramas, hojas... —de repente se quedó callada—. ¡Mira, barro! —exclamó.

Habíamos llegado a la orilla del arroyo y Annie hundió las manos en el suelo limoso que se extendía como una playa de fango en una de las riberas del agua.

—Este material me servirá de pegamento dentro de unos días. Pero para el proyecto de hoy no sé qué usar... —dijo alejándose para ir como una flecha de arriba abajo buscando algo. Y de repente lo encontró—. ¡Fósiles! —exclamo entusiasmada.

El lecho del río estaba plagado de fósiles calcáreos en forma de almejas, caracoles marinos y piedras con pequeñas amonitas incrustadas.

—¡Muy bien, Chico Piedra, este será tu trabajo! —me anunció, esta vez sin traza de dolor en la voz.

Annie tenía un objetivo. Suspiré. Me daba la impresión de que su objetivo me obligaría a romperme el lomo trabajando.

—Necesitaremos la mayor cantidad de fósiles que puedas encontrar. Al menos un centenar —dijo confirmando mis sospechas.

—¿Para qué son?

—Haremos *cairns* con fósiles —me aclaró, y luego salió pitando como si yo supiera a qué se refería. ¿Qué diantres eran los *cairns*?

Me descalcé, dejé los zapatos junto al arroyo y me metí en la parte poco profunda del agua para buscar fósiles. Cuando encontré un par, me los guardé en los bolsillos. Pero al cabo de poco ya no me cabían y tuve que irlos apilando en la orilla. Era extraño, al primer golpe de vista no parecía que hubiera tantos, pero al poco rato, mientras los buscaba en silencio, dejando que mi respiración fuera el único sonido que producía, escuchando el agua lamer calmosamente mis tobillos y las rocas, los fósiles parecían... salir como por arte de magia. Y al cabo de veinte minutos era más extraño aún, porque prácticamente cada piedra que agarraba resultaba ser un fósil cara abajo, o la mano se me iba en el último instante, como atraída por un imán, a una piedra distinta de la que pretendía coger, dando con otra con una forma de concha marina perfecta.

¿Era el valle el que lo estaba haciendo? Vete a saber. Lo único que sé es que había reunido una pila de al menos doscientos fósiles en una hora, y cuando Annie volvió disparada al claro, gritando «¡He encontrado el lugar!» se detuvo y me miró como si me hubieran salido alas.

—¿Dónde has descubierto este montón de fósiles? —farfulló alucinada—. ¡Deben de haber unos trescientos!

¿Trescientos?

—Creí que habría doscientos —bromeé—. Lo siento, procuraré trabajar más deprisa.

—¿Más deprisa? ¿De dónde...? ¿Cómo lo has logrado?

Me enderecé, sintiendo que las vértebras de la espalda se movían y crujían al hacerlo.

—No sé. Ha sido como si... hubieran ido apareciendo por sí solos.

—Pues... qué bien —respondió Annie, un tanto sorprendida. *Era* una cantidad alucinante de fósiles. Había tantos que hasta resultaba sospechoso. Pensé que el valle se estaba divirtiendo con nosotros.

O a nuestra costa.

—¿Qué planeas hacer con ellos? —pregunté.

—Erigir *cairns* —respondió examinando uno de los mejores de la pila—. Creo que el prado cubierto de rocas enormes es el mejor lugar para levantarlos.

—¿Y qué son los *cairns*?

—¡Oh, lo siento! —tartamudeó Annie. No estoy seguro de por qué se sintió avergonzada, al fin y al cabo el cateto era yo—. Son piedras apiladas. Prácticamente todas las civilizaciones los han construido para conmemorar a los muertos.

—¡Qué alentador! ¿Y por qué no dejamos la pila de piedras aquí?

—¡Oh, no! —exclamó Annie—. Tendrás que llevarlas al prado. Y luego apilarlas. Podríamos pegarlas con algo, pero supongo que si las apilas bien, se sostendrán por sí solas...

Intenté no echarme a reír. Annie no tenía idea de lo marimandona que sonaba. Me recordaba a Carlie más que nunca.

—¿Y tengo que transportarlas allí? ¿Todas?

Me miró parpadeando, como si yo hablara en chino o algo por el estilo.

—¿Yo solo?

Volvió a parpadear.

—Sí, tú solo. Yo no puedo cargar con ellas. Y, además, me está a punto de doler la cabeza —respondió sentándose junto al arroyo y abanicándose con la mano. Me jugaría lo que fuera a que estaba fingiendo encontrarse mal.

—¿Qué forma les doy al apilarlas? —pregunté intuyendo lo que me respondería.

—De pirámides.

Pirámides. Sonreí burlonamente.

—No hay problema. ¿Dónde quieres que las apile, faraona?

La estuve llamando así el resto de la tarde, hasta que dejó de hablar y se puso a trabajar de verdad. Debió de haber comprendido que, con cáncer o sin él, si quería que llevara las trescientas piedras a otro lugar y las apilara en una hora, me tendría que echar una mano.

Pero en lo que no había caído era en que, mientras yo las había estado recogiendo, Annie había estado preparando otro material en la pradera. Había... cubierto todas las piedras grandes con una especie de alfombrillas hechas de pétalos de flores, de un color diferente en cada roca.

—Me gusta la yuxtaposición —afirmó mientras apilábamos los fósiles sobre los pétalos de flores—. Lo transitorio sirve como base para lo eterno.

Al oír sus artísticas palabras puse los ojos en blanco.

—¡A mí sí que se me va a hacer eterno este trabajo, que soy el que ha de apilar todos los fósiles!

No quise hablar de arte, me daba la sensación de que parecería un mentecato si lo hacía. Pero en cierto modo entendí lo que Annie quería decir. Cuando terminamos, siete de las piedras grandes de la pradera estaban cubiertas con alfombras de pétalos de color naranja, rojo y amarillo. Y coronadas por los fósiles apilados en forma de pirámides de cuatro lados casi perfectas. El tono grisáceo de las piedras encima de los vivos colores de las flores era... sin duda interesante.

Y me hizo barruntar. Sobre cosas como cuánto tiempo haría que los fósiles estaban allí, cuántos millones de años habrían transcurrido desde que fueron unos seres vivos. Y cuántos minutos de vida les quedaban a los pétalos antes de marchitarse, sin poder pasar a la posteridad convertidos en fósiles. Los únicos que los recordaríamos seríamos Annie y yo...

¡Clic!

Me giré de golpe al oír el chasquido. Annie estaba sacando fotos.

—Apártate, Peter, quiero sacar una foto a los *cairns* —me pidió.

—Sí, faraona —asentí haciéndole una reverencia. ¿Es que no había oído nunca la palabra *por favor*?

—Lo siento —se disculpó—. Es que me entusiasmo demasiado. Gracias por hacer esto. Me preocupa que no vayan a durar demasiado. Al menos los pétalos… —observó caminando alrededor de la pradera para echar una foto tras otra a las siete rocas.

Por más raro que parezca, la brisa refrescante que nos había estado abanicando la cara mientras trabajábamos no había movido un solo pétalo. Sonreí alzando la vista al cielo, preguntándome si el valle nos estaría contemplando. ¿Primero los fósiles y después la brisa? A lo mejor al valle le gustaba el arte.

A mí me gustaba. Y si la definición de Annie era cierta, lo que habíamos hecho era arte puro. Lo observé y vi algo más que pétalos y piedras. Transmitía un significado. Me habría gustado pasar un poco más de tiempo sentado en el valle, meditando. Permaneciendo en quietud. O incluso siendo ruidoso, como Annie.

¡Vaya! No había esperado divertirme tanto con ella. Ni tampoco había creído poder hacer algo tan asombroso en el valle.

—Ya he acabado de sacar fotos —oí.

Una ráfaga de viento esparció de pronto los pétalos por el aire en una especie de tornado con forma de embudo de color rojo, naranja y amarillo envolviéndonos a los dos, cubriendo el cielo de puntitos de colores que parecían nieve multicolor. Era alucinante, pero…

—Annie —dije—. ¡Se ha deshecho!

No había visto lo que le había pasado a su obra de arte porque estaba con los ojos cerrados. Lo sentí por ella. Todo su arte había desaparecido en un pispás con un simple golpe de viento.

Pero cuando Annie abrió los ojos sonrió de oreja a oreja, nunca la había visto tan radiante.

—Eres… eres feliz —tartamudeé.

—Forma parte del arte —me explicó señalando con la cabeza el arroyo—. La unión de las partes y luego la forma en que desaparecen cuando les llega la hora; cuando el viento, el agua, la gravedad o lo que sea hacen que el arte se desvanezca. No está hecho para durar para siempre. Algunas personas —añadió y luego hizo una pausa—, algunas personas no lo entienden. Se desviven para conservarlo. Hacen todo tipo de cosas poco naturales para que perdure. Lo pegan, lo grapan, lo fijan con cemento. Aunque lo estropeen al hacerlo.

Un halcón pasó volando por el cielo cortándolo en dos mitades. Lo contemplamos en silencio y, cuando se perdió en la lejanía, echamos a andar.

—Hay que aprender a no aferrarte cuando llega el momento —dijo en voz baja.

Volvió a sonreír, pero esta vez con esa sonrisa tensa de otras veces que ocultaba toda clase de dolor y secretos, y en medio del soleado día se me pasó un pensamiento siniestro por la cabeza.

No creí que se estuviera refiriendo esta vez al arte. Me dio la impresión de que estaba hablando de la vida.

De la suya.

Capítulo 15

Aquella noche mis pensamientos se volvieron más tenebrosos aún. En cuanto mamá regresó del trabajo, Laura le chivó que papá me había dejado salir. Supongo que mi hermana estaba aburrida como una mona, porque en todo el día yo no le había hecho nada. Ni siquiera había estado en casa para... ¡oh!, lavar los platos. Supongo que ella tuvo que ocuparse de todas mis tareas. ¡Uy!

No había oído a mamá tan enojada en toda mi vida, y eso que cuando papá se quedó sin trabajo había puesto el grito en el cielo. Ojalá mi padre encontrara trabajo pronto. A lo mejor así mamá no estaría siempre tan molida, y encima preocupada. Tal vez entonces volvería a ser la madre de antes. Contenta la mayor parte del tiempo, incluso alegrándose a veces de estar ociosa y de leerme cuentos.

Pero ahora iba siempre tan ajetreada que no tenía tiempo para estas cosas.

Me escondí en mi habitación para resguardarme del chaparrón de reproches. Mamá le gritó a papá que por qué se había saltado a la torera el castigo que me había impuesto quitándole autoridad y él le soltó que ella necesitaba relajarse.

Últimamente habían tenido muchas broncas. Pero nunca una tan gorda como esta... y había sido por mí. Por mi culpa. Cada grito era como un puñetazo en mi estómago.

Y de pronto la bronca se volvió más horrible aún cuando mi madre le echó en cara a mi padre que no servía para nada y que ella era la que… Bueno, en ese momento papá se puso a soltarle palabrotas.

Nunca antes se las había soltado a mamá.

Tenía que irme de casa. Laura se había encerrado en el baño otra vez y ahora estaba al parecer con la cabeza bajo la ducha.

Carlie se encontraba sollozando en el salón, ignorando la tele, absorta en la bronca. Si la situación no era buena para mí, para ella todavía debía de serlo menos.

Tal vez Annie tenía razón. A lo mejor ya era hora de escaparme de casa. Pero esta vez no lo haría solo.

—Vamos, Carlie, quiero enseñarte algo —le dije. Cuando la alcé en brazos, advertí que el pañal le pesaba un poco más de la cuenta, pero no pensaba ir a buscar otro limpio en su habitación, porque papá y mamá habían dejado la puerta del dormitorio abierta y me verían si pasaba por delante.

Carlie alzó los brazos hacia mí.

—Peep —dijo con tristeza. En un hilo de voz.

—¡Sí! —asentí—. Aquí hay demasiado ruido. Conozco un lugar muy tranquilo.

No había contado con lo pesada que se había vuelto. O tal vez eran mis brazos los que estaban molidos por haber estado recogiendo fósiles todo el santo día. Cuando por fin llegamos al borde del valle, estaba exhausto.

No podía dejar en el suelo a mi hermana porque iba descalza y además había serpientes sin lugar a dudas.

—¡Mira, Carlie! —le dije intentando distraerla para que dejara de revolverse en mis brazos.

El sol se estaba poniendo por el borde de la hondonada que se extendía a nuestros pies y el cielo estaba veteado de tonalidades rosadas, amarillas y anaranjadas. Me recordó las flores silvestres del valle.

—¡Peep! —gorjeó Carlie.

—¡Shhh! —exclamé para hacerla callar—. Mira. Mira la luz.

Ella asintió con la cabeza y me la puse sobre los hombros para que viera mejor y poder darles de paso un respiro a mis brazos molidos.

Mientras contemplábamos la puesta de sol unos minutos, Carlie señaló con el dedo unos buitres que, tras ir volando hasta un árbol muerto del extremo del valle, se posaron en sus ramas. Quizá pasarían la noche en él. Esperaba que Doug y Jake nunca descubrieran dónde dormían. Me temía que se alegrarían de ir a cazarlos de noche simplemente para divertirse.

¡Oh, no!, se me había pasado el tiempo volando. Estaba anocheciendo rápidamente, la sombra de la colina enmarcaba la parte de la hondonada más cercana a nosotros, y los arbustos y las matas que nos rodeaban estaban adquiriendo unos tonos más oscuros por momentos. Vi la luz de las luciérnagas parpadeando a nuestros pies, en el valle. Pero ninguna parecía salir de la hondonada, por más «¡yuyus!» que Carlie les lanzara alargando las manitas para agarrarlas.

—Duz —dijo señalándolas con el dedo—. Duz.

—¿Carlie? ¿Has dicho una palabra? —le pregunté, sabía que lo había hecho. Había dicho «Duz», creo que quería decir *luz.* Hasta entonces solo había dicho nombres, como «mamá» o «Peep». Yo era el primero que le oía decir la primera palabra *auténtica.* ¡Qué guay!

—¿Peep? —dijo Carlie moviéndose sobre mi espalda por estar incómoda. O tal vez asustada.

—Vale, Carlie —le dije—. Regresemos a casa

No quedaba lejos, no era más que un corto paseo. Pero la noche era lo bastante oscura como para rozar con el tobillo un cactus, darme un golpe en el dedo del pie con una piedra y estar en un tris de dejar caer a mi hermana al suelo cuando algo —¿un murciélago?— pasó volando a ras de mi cara.

Al menos reinaba un gran silencio. Hasta que me encontré a un metro del porche de mi casa y la puerta se abrió de golpe.

—¿Dónde demonios has estado? ¿Por qué te has llevado a Carlie? Pero ¿en qué estabas pensando? —me soltó mi madre. Había dejado de pelearse con papá, pero seguía con ganas de discutir.

Intenté explicarle que Carlie estaba muy afectada por la pelea, pero los gritos de mamá eran demasiado fuertes y seguidos como para dejarme hablar. Me arrebató a Carlie de un manotazo y la depositó en el parque. Papá se había esfumado.

—Y tú, señorito, haz el favor de sentarte ahí —me espetó mi madre apuntándome con un dedo tembloroso como si deseara que fuera una pistola, un palo o algo más violento—. Me vas a oír por tomarte tan a la ligera la seguridad de tu familia, es decir, la de tu hermana pequeña.

Quería echarme a reír. ¿Así que ahora mamá se preocupaba por Carlie? ¿Ella que había estado tan enzarzada en su riña que ni siquiera había advertido que Carlie se había hartado de llorar sin que nadie se ocupara de cambiarle el pañal sucio? Podía haberle dicho un montón de cosas, pero no habría servido de nada. Y estaba a punto de volver a dolerme la cabeza. Por eso mientras me sermoneaba desconecté, pensando en el valle, en su magia y en cómo —si me concedía mi deseo— aceptaría el ofrecimiento de Annie, huiría al valle… y no volvería nunca más. Ya jamás nadie me gritaría, nadie me obligaría a hablar ni me forzaría a ser alguien que no era.

Estaba seguro de que eso era lo que siempre me pasaría en casa… toda la vida. No podía competir con el jaleo de mi familia, con sus trifulcas. Pero en el fondo sabía la verdad. Me daba demasiado miedo plantarles cara. Luchar para ser yo.

—¿No tienes nada que decir en tu defensa? —me preguntó mamá tras haberse calmado por fin.

—Lo siento —respondí para que me dejara en paz. En realidad no lo sentía, pero quería largarme a toda costa—. ¿Puedo ir a mi habitación?

Ella se quedó boquiabierta, como si hubiera creído que me iba a defender. Como si esperara que me importase más la situación.

—¿Puedo? —repetí a los pocos segundos.

—Sí —logró decir al final apretando los dientes para contenerse. Pero la barbilla le temblaba, como si intentara no llorar. ¡Vaya! ¿Por qué tendría ella que llorar?—. Y piensa en lo que te he dicho, Peter Stone. Piensa en ello —añadió.

—Lo haré —le mentí.

Fui a la habitación y, en lugar de pensar en lo que me había dicho mi madre, me puse a pensar en Annie. En lo valiente y lista que era. Me pregunté por qué le gustaba yo.

De repente me acordé de lo impresionada que se había quedado por mi quietud. Pero una piedra también podía hacer lo mismo. Tenía que demostrarle que yo además era listo. ¿Qué haría para impresionarla? Tenía que ser una obra de arte. Hacer algo nuevo, diferente, esta vez sin fósiles ni pétalos de flores. Pero ¿qué más podría crear?

A lo mejor algo con barro, pensé adormeciéndome. Estuve soñando toda la noche con serpientes de barro, serpientes que dejaban largas huellas para que yo las siguiera, kilómetros y kilómetros de senderos despejados que me llevaban tan lejos de mi casa que ya no oía más gritos.

Capítulo 16

—¿Adónde te crees que vas? —me soltó Laura con su tono de voz más altanero a la mañana siguiente. Por una vez había dormido hasta muy tarde. Ella ya estaba vestida y sostenía un plato de gofres congelados en la mano—. ¿Es que mamá no te dijo que estabas castigado?

No pensaba meterme con Laura. De todos modos no estaba haciendo nada malo.

—A sacar la basura —dije sosteniendo en alto la bolsa de la basura de la cocina—. ¿Quieres hacerlo tú? —añadí sonriendo—. Siento lo de los platos de ayer.

—¿Los platos? —dijo ella poniendo los ojos en blanco, aunque jugueteando con el pelo como hacía cuando estaba muy molesta por algo—. No estaba enfadada por lo de los platos, sino asustada, Peter. ¿Es que no te acuerdas de lo que ocurrió la primavera pasada? No puedes... desaparecer sin más.

—Sí, no te preocupes. No lo volveré a hacer —respondí, intentando no sentirme culpable por haberla preocupado, no mostrarle lo sorprendido que estaba por que ella se hubiera inquietado por mí—, ¡porque gracias a ti estoy castigado para el resto de mi vida!

Laura chasqueó la lengua indignada.

—¿Y qué te parece disculparte también por llevarte a Carlie? A mamá le dio un ataque y fui yo la que tuve que escucharla —añadió, y luego se fue sin darme tiempo a responderle. A los pocos segundos la oí tecleando en el ordenador.

Me alegraba que se lo hubiera tragado, porque la bolsa que sostenía no estaba llena de basura, sino de comida.

Papá me había dejado una nota por debajo de la puerta de mi habitación por la noche, supongo, o esa mañana. Se había llevado a Carlie a una nueva guardería de Henly y él mientras tanto se iba a presentar a la prueba para tocar la batería en la actuación prevista para el Rodeo de Wimberley. Volvería a las cuatro de la tarde. Se suponía que debía quedarme en casa.

Sí, vale. Ya había metido bastante comida en la bolsa como para disponer de un desayuno y dos comidas, y algunas otras provisiones. Para poder largarme de casa solo tenía que sacarme un pincho más de cactus del tobillo que se me había resistido la noche anterior y ya no regresaría hasta las cuatro.

De pronto se me ocurrió algo y volví a mi habitación. Encendí la radio lo bastante alto como para que Laura no entrara a comprobar si me había largado, pensaría que estaba dentro. Pero dejé una nota sobre la almohada por si acaso. «No os asustéis, he ido a dar una vuelta por nuestra propiedad. Volveré pronto.»

Ya estaba libre. Si me apresuraba me daría tiempo a hacer algo con el barro antes de que Annie llegara. Me fui pitando.

Me detuve en el borde del valle para darle los buenos días. De pronto vi algo moviéndose frente a mí, dos colinas más allá. Parecía la mujer del Coronel. Quienquiera que fuera sostenía una especie de herramienta de metal y la alzó para saludarme. Le devolví el saludo y empecé a bajar por la ladera corriendo, sorprendido por lo seguras que eran las rocas bajo mis pies, por lo mullida que era la hierba.

Parecía como si el valle estuviera deseando verme manos a la obra.

Al llegar al lecho del río saqué todos los utensilios y herramientas que había llevado conmigo. Una cuchara sopera de la cocina, un cuenco de metal y algunas de las herramientas para trabajar la arcilla. Mamá las había comprado cuando esperaba que mi silenciosa manera de ser significara que estaba destinado a ser escultor. Dándome una sorpresa, en el cuarto curso me inscribió a clases de alfarería. Pero me permitió dejarlas cuando llegué un día a casa con los oídos y los orificios de la nariz llenos de arcilla gracias a uno de los otros chicos que tenía «un trastorno de límites difusos y problemas para manejar su ira». Supongo que su madre lo había inscrito para ayudarle a controlarse. Pero a él tampoco le había servido de nada.

Agarré con las manos un buen puñado de barro y al sentirlo entre mis dedos me pregunté qué pensaría mi madre si me viera. ¿Se sentiría orgullosa de mí al ver que intentaba hacer arte, arte del auténtico?

Probablemente le daría un patatús, al fin y al cabo no era barro, sino fango. Y tampoco estaba haciendo vasijas ni lapiceros. Nada útil. Estaba haciendo serpientes.

No, bueno, no eran serpientes exactamente, porque no tenían cabeza ni cola. Eran más bien unos cuerpos alargados como de serpientes. Empecé con uno que había sacado de la orilla con esta forma. Como si hubiera nacido del fango. Seguí trabajando, abriendo una especie de sendero con la punta de mis deportivas para que la serpiente de barro pudiera avanzar por el mantillo de hojas. Seguí alargando el cuerpo de la serpiente, haciéndola pasar por encima de algunas de las piedras más grandes de la orilla y, al ver una de las concavidades de piedra caliza que ocultaba el agua en esta parte del arroyo, la hice desaparecer por ella.

Fui cruzando de un salto el riachuelo una y otra vez a medida que la serpiente se alejaba cada vez más del fango zigzagueando. Deseé haberme llevado un cubo, no era fácil sostener el suficiente barro en mis manos como para hacer unos centímetros más de serpiente cada vez. Cuando creí que llevaba varias horas trabajando, miré por entre las hojas. Como era de esperar, la luz se estaba colando por las ramas que había en lo alto. Probablemente era mediodía.

Me detuve durante un minuto para ver hasta dónde llegaba la serpiente. La luz del sol que penetraba por la cubierta vegetal había empezado a secar el barro y el fango en algunas partes y ahora la serpiente marrón era de un color más oscuro en las partes húmedas y de un color más claro en las secas. Me recordó los colores de la serpiente de cascabel que vi el primer día, cuando me había quedado inmóvil durante varios minutos en el valle, y rememoré ese día, ese momento.

Me había quedado tan quieto que creí incluso estar oyendo un animal olfatear en la hierba. Permanecí en silencio, escuchando los pasos de lo que estaba seguro era un ciervo saliendo de la maleza para ir a al arroyo.

Tal vez fueran más de uno. Hacían más ruido del que haría uno solo. Pero cuando emergió de la espesura, vi que me había equivocado.

Era un cerdo salvaje. Un jabalí negro con el pelaje hirsuto y un pequeño colmillo a cada lado de la boca. Cuando se metió en el riachuelo para beber lo hizo con mucha cautela. ¿Estaba… cojeando? Tal vez. Se acercó a la serpiente de barro, la olisqueó con precaución, y luego alzó la cabeza mirando a un lado y a otro, aunque con esos ojillos negros no estaba seguro de que viera gran cosa. Esperaba que así fuera, porque los colmillos que le asomaban por la boca eran siniestros, como si le sirvieran para defenderse en caso de necesitarlo.

Bueno, más bien era un jabalí hembra, me dije, a juzgar por la barriga que le colgaba y las dos hileras de ubres repletas de leche. También tenía una pata hinchada. Tal vez por una mordedura o un rasguño.

Era una madre. Pero ¿dónde estaban las crías? Lo averigüé a los pocos segundos cuando la cerda salvaje lanzó un gruñido y cuatro jabatos negros llegaron correteando de la maleza para reunirse con ella. Los contemplé juguetear escondido en la sombra que proyectaban las hojas. Uno pisó la serpiente de barro dejando una pequeña huella. No me importó. Parecía un fósil. Tal vez un día lo acabaría siendo.

Cuando una de las crías se dirigía vagando hacia mí, oí alguna otra cosa. Otra criatura que venía en nuestra dirección.

O dos. *¡No era posible!* Conocía esas voces.

—¡Eh, Doug!, creo que la cerda ha bajado al arroyo. Ven con la veintidós. Yo la azuzaré del otro lado. No puede moverse demasiado deprisa —dijo Jake como si estuviera hablando en susurros, pero el agua amplificaba todos los sonidos. De pronto lo comprendí.

El rasguño de la pata... no era un rasguño, sino un balazo.

¡Era una salvajada! En esta época del año todos los animales tenían crías, y estas se morirían si mataban a sus madres. No podía permitir que la jabalina acabara como el buitre de cabeza roja, sacrificada y arrojada a la laguna por pura diversión. Pero no me quedaba demasiado tiempo, los chicos andaban cerca. Me moví un poco, esperando asustarla.

Pero no fue una buena idea.

De repente erizándosele el pelo del lomo, la cerda salvaje se puso a escarbar ruidosamente el suelo con una pezuña y me miró como si me fuera a embestir.

—Por favor —le susurré—, vete corriendo.

Y de pronto la jabalina asintió con la cabeza, lo juro. Las crías huyeron a la espesura en cuanto su madre les indicó que corrían peligro. A los pocos segundos ella también se había esfumado, aunque dirigiéndose renqueando en la dirección de donde venía la voz de Jake. ¡Qué horror!

Tenía que distraer a esos chicos.

—¡Eh, Doug, Jake! ¿Qué hay de nuevo?

Me limpié las manos sucias de barro en los pantalones cortos y me encaminé al lugar de donde venían sus voces. Pero cuando aparecí a la orilla del arroyo, ellos ya estaban ahí.

—¿Eres tú, Pete?

—Sí —asentí intentando responder en el mismo tono de voz que mi padre ponía con sus amigos. Desenfadado, amigable. Aunque no se me diera bien, no quería que los chicos mataran a la mamá jabalina—. ¿Queréis comer?

—Sí, claro —gritó Jake—. Ahora venimos. Doug, ¿la ves? Pete, ¿has visto a una cerda salvaje por aquí?

—No —mentí. Pero de pronto me di cuenta de que el fango de la orilla estaba lleno de huellas de jabalí.

—¡Maldita sea! —exclamó Jake saliendo de detrás del árbol donde se había escondido—. La hemos estado siguiendo desde el alba. Creo que mi hermano le ha dado en una pata. ¿Quieres seguirle el rastro con nosotros, Pete? —preguntó.

Estaban en la otra orilla del arroyo. Lo cruzaron de un salto, pero Dough resbaló con las botas y se dio un batacazo, cayendo de culo en el fango. Sin embargo alzó en el aire la escopeta —era distinta a la del día anterior— como si fuera un bebé. El agua que lanzó cayó como una lluvia sobre la serpiente y, cuando le ayudé a levantarse, la aplastó con su bota, pero también destruyó las huellas de la jabalina. No se darían cuenta de que yo la había visto.

—No, no puedo —mentí—. Me escabullí de casa esta mañana. Se supone que aún estoy castigado.

Se echaron a reír y Jake agarró la bolsa llena de comida que yo había dejado en la orilla y se puso a hurgar en ella. Sacó un bocadillo rasgando el envoltorio de plástico que lo protegía.

—Gracias por la comida —dijo apartando a manotazos un enjambre de moscas que se posaron de inmediato en el bocadillo que sostenía—. Nosotros también tuvimos que salir a hurtadillas de casa.

—¿Por qué? —pregunté mirándolo mientras él arrojaba el envoltorio de plástico al arroyo. *¡Oh, no!* Quería correr a recogerlo y meterlo en la bolsa, pero no lo hice. No quería perderlos de vista.

Doug se sentó también y agarró otro bocadillo que Jake le ofreció. El mío. ¡Me había quedado sin almuerzo! Como era de esperar, en cuanto sacaron los bocadillos, las moscas y los mosquitos se abalanzaron con avidez sobre ellos, correteando por el pan incluso mientras comían. Agarré una barrita de granola antes de que también desapareciera y me senté en una roca plana.

Doug habló entre bocado y bocado.

—He recuperado mi escopeta. Abrí el candado del armario donde papá la guardaba con una horquilla. Él no lo sabe.

—¡Vaya! —exclamé—. ¿Y no os vais a meter en un buen lío?

—No si le llevamos un jabalí —dijo Jake agitando entusiasmado una chaqueta amarilla por encima de su cabeza—. ¡Tendremos beicon durante un mes!

Del árbol bajo el que estaba le cayó una bellota dándole de lleno en el borde del ojo. Le salió una roncha roja al instante.

—¡Odio este valle! —gritó—. Si no fuera porque la cerda está herida, no habríamos venido.

—¿Habéis estado disparando en alguna otra parte?

—Sí —respondió Doug—, en tu casa. Justo detrás.

¿Habían estado en mi propiedad? ¿Armados con escopetas? Tuve un pensamiento extraño. *¿Me estaban espiando?*

—¿No crees que es peligroso disparar cerca de una casa? —le solté, pero vi, cuando ya era demasiado tarde, que me habían tomado por un gallina.

—Sí, claro que lo es —repuso Jake echando las migajas del bocadillo al riachuelo—. Si eres un cobardica. ¿Eres un cobardica, Petey? —me soltó agarrándome del brazo para intentar echarme al agua. Me zafé de él, pero solo porque resbaló con las algas que bordeaban la roca.

—¡No hagas el imbécil! —le grité.

—Vigila tu lengua, Petey sin escopeta —me soltó Jake quitándole a Doug el arma de un manotazo. Se puso a poner y a quitar el seguro apuntando el cañón un poco demasiado cerca de mis piernas para mi gusto.

Me alejé despacio.

—Pero ¿qué haces? —dije tragando saliva para humedecerme la boca, de golpe me notaba la lengua pastosa—. ¿Es que me vas a disparar?

Jake sonrió y alzo la escopeta.

—Tal vez —respondió—. Me apuntó con el cañón y le vi apretar el gatillo. Tragué saliva de nuevo, con fuerza, sin poder creer lo que me estaba pasando.

Iba a dispararme.

Me quedé paralizado. Mudo de espanto. En cambio, los insectos posados en los árboles de nuestro alrededor, una docena de chicharras, se pusieron a cantar tan alto que prácticamente lo hacían a grito pelado. Jake las ignoró, y también hizo lo mismo con las mariposas nocturnas y las moscas que emprendieron el vuelo dirigiéndose en masa ante sus ojos y frente al cañón de la escopeta. Como si las alas de las mariposas pudieran detener una bala.

En el último instante apartó el cañón y le disparó a algo que había detrás de mi cabeza.

—No hay que dispararle a la gente, Jake —dijo Doug quitándole la escopeta. Pronunció estas palabras como si las hubiera memorizado al pie de la letra. Como si fuera una regla que había tenido que oír un millar de veces para que le calara. Para recordarla. Frunció el ceño—. No hay que dispararle a Peter —repitió con una voz más dura ahora que había añadido mi nombre a la regla—. Porque me cae bien —agregó, convencido de que su hermano no iba a asesinarme. Doug se giró ligeramente hacia mí—. No hablas demasiado, como yo —me dijo.

—No iba a dispararle —respondió Jake—. Quería darle a una ardilla, pero ha huido —afirmó poniendo una cara como si Doug le acabara de quitar su juguete preferido—. ¡Quién sabe dónde para ya esa cerda! Si no le llevamos algo a papá y descubre que hemos cogido la veintidós, vamos a ser nosotros los que recibamos un balazo.

Miré a mi espalda. Cuando llegué, no había ninguna ardilla por el lugar. Estaba casi seguro de que Jake mentía.

—¡Tenías que haber visto la cara que has puesto! —dijo él, rebuscando otra vez en mi bolsa de provisiones. Sacó una bolsa de patatas fritas y se la entregó a Doug—. ¡Estabas tan asustado como un conejo! Como no sepas poner una mejor cara cuando te veas en un aprieto, los chicos del colegio te van a comer vivo.

—Como un pastel —apostilló Doug, asintiendo con la cabeza—. A propósito, ¿tienes alguno?

Caí en la cuenta de que se refería a mi bolsa de provisiones.

—No, lo siento. No hay ningún postre —respondí. Estaba preocupado. Si no nos íbamos pronto, Annie podía llegar en cualquier momento, y si se alegraban de apuntarme a mí con la escopeta, ¿qué no le harían a ella? Era la clase de chica con la que a este tipo de chicos les gustaba meterse. Menuda, flacucha, demasiado lista y sin pelos en la lengua. Tenía que conseguir que se largaran lo antes posible.

—Chicos, me tengo que ir.

—¿Tienes diarrea? —me preguntó Doug como si tal cosa—. ¿Has estado comiendo bayas venenosas?

—No, no. Es que se supone que estoy castigado. Tengo que volver a casa.

—¿Qué estabas haciendo aquí abajo de todos modos? —dijo Jake rascándose algunas picaduras en los brazos—. Te advertimos que era el valle de la muerte. Lo mínimo que te puede ocurrir en él es que te devoren los mosquitos —añadió al tiempo que daba unos pasos por el lugar y descubría la serpiente que yo había hecho. Era larguísima, pensé. Medía varios metros. Jake se puso a darles puntapiés a los trozos secos, lanzándolos por el aire y mandándolos de vuelta al arroyo. Y acabó destruyéndola.

Procuré no mostrar lo mal que me sentía al verlo.

—Matar el tiempo —respondí—. La vida en el campo es un muermo —mentí. De pronto una bellota me cayó en la cara, aunque con suavidad. *No es verdad. La vida en el campo no es aburrida*, pensé.

—Tu hermana también quería saber dónde estabas —prosiguió Jake—. Le dijimos que te llevaríamos de vuelta a casa, sano y salvo, pastelillo de ángel.

No sabía qué responder… ¿Me estaba llamando a mí «pastelillo» o se estaba refiriendo a Laura con sarcasmo?

—¡Las hermanas son una murga! —exclamé.

—Sí, y que lo digas —repuso Jake—. Aunque tu hermana está muy buena, ¿sabes? Estaba pensando que quizás ella y yo… —se me removieron las tripas mientras él seguía hablando. Parecía como si estuviera empozoñando el aire con sus palabras.

Tras terminar de soltarme lo que estaba diciendo de Laura, me miró arqueando una ceja. Esperando.

Sabía exactamente lo que se suponía que yo debía hacer. No había ningún lugar del mundo —en la ciudad o en el campo— donde fuera correcto hablar de la hermana de uno de ese modo. Pero Jake —y Doug— me estaban mirando como si creyeran que era demasiado gallina para hacer algo al respecto.

Y tenían razón. Era un cobarde. Estaba asustado. Nunca había pegado a nadie, ni siquiera para impedir que me pegaran.

Que me golpearan una y otra vez.

Al ver la mirada expectante en los ojos de Jake trocarse en aversión, oí la voz de mi padre en el fondo de mi mente. Ecos procedentes del verano pasado, de San Antonio. «¡Dale, Peter! Tienes que aprender que a veces debes defenderte. Si no lo haces, vas a ser un perdedor toda tu vida, hijo, y tal vez pierdas entonces algo más que una pelea a puñetazos.»

Me apuntó a clases de kárate extraescolares hasta que uno de los otros chicos me dejó los ojos a la funerala. Dijo que no lo había hecho a propósito: «Lo siento, señor. Ni siquiera ha intentado defenderse».

Mi padre se avergonzó tanto de mí que ni me miró. Aquella semana me borró de las clases de kárate.

Y ahora que, como me había ocurrido todas esas veces, debía pelear porque alguien se estaba metiendo conmigo, no podía moverme. Quería hacerlo, pero me sentía como si estuviera clavado en el suelo.

Paralizado por mi propia cobardía.

Recordé que cuando nos conocimos Annie me había llamado «Chico Piedra». Y tenía razón, me dije. Me sentía como si fuera de piedra. Como si los brazos y las piernas me pesaran como rocas. Y mi corazón era la más pesada de todas. Por un momento se me pasó por la cabeza algo de lo más descabellado. En San Antonio no había sabido defenderme, ni siquiera había sido capaz de pensar en ello..., pero quizá aquí, en el valle, podría ser más fuerte, más valiente.

Tal vez podría por fin defender a mi hermana.

Apreté una de mis manos en un puño. Si lograra levantarlo, mover ese brazo...

Pero el brazo me pesaba como una roca por el miedo. Por

los recuerdos de aquella vez que había intentado defenderme, dar un puñetazo, y había fallado estrepitosamente.

Por los recuerdos de una pandilla de chavales agarrando palos y abalanzándose sobre mi rostro, dando puñetazos y patadas que solo se detuvieron al oír el sonido de las sirenas resonando en mis oídos sangrantes.

Aun así debía intentarlo, por Laura...

Pero ya era demasiado tarde. Había esperado más de lo debido y mi valor se había esfumado.

—Pero ¿qué te pasa, tío? —me soltó Jake metiéndose conmigo como si me fuera a dar un puñetazo para averiguar si se lo devolvería, pero Doug lo agarró del brazo con su maciza mano impidiéndoselo.

—A lo mejor no traga a su hermana —dijo al tiempo que con la otra mano le daba un manotazo a un tábano que se había posado en su hombro. Jake se detuvo, cavilando en ello.

—¡Sí! —exclamé cobardemente aliviado por que Dough me hubiera librado de ese trance. Pese a no ser cierto. Aunque estuviera traicionando a Laura. Tragué saliva, notando un sabor amargo en la boca—. ¡No la puedo ni ver!

Al que no puedo ni ver es a mí, pensé.

—¡Es la peor hermana que hay! —mentí.

¡El peor hermano que había en el mundo era yo!, me dije para mis adentros.

Jake siguió mirándome como si aún quisiera propinarme un puñetazo. Pero de pronto Doug se echó a reír y, agachándose, nos salpicó a los dos con el agua del riachuelo. Su hermano pareció tranquilizarse.

—¡Seguro que lo es! —asintió Jake. No iba a pegarme, pero me echó una mirada como si no hubiera pasado la prueba a la que me había sometido o algo por el estilo—. Por lo que dices, parece peor que nuestro padre. ¿Te pega?

—No —farfullé—. Pero ella... —la voz se me apagó al ver que se arremangaba una pernera del tejano para mostrarme una roncha. Parecía una quemadura.

—¡Esto es lo que nos pasa cuando la fastidiamos en casa. Tienes suerte de que tu hermana no fume —apostilló. Se me hizo un nudo en el estómago. ¿Su padre le había quemado con un cigarrillo?

De pronto las decepciones que mi padre se había estado llevando conmigo toda la vida no me parecieron tan terribles como antes.

Doug le arrojó un guijarro al tobillo.

—¡Deja de enseñar las marcas de la varicela! —le soltó—. Larguémonos de aquí. Estos mosquitos chupasangres son peores que pirañas.

¿Las marcas de la varicela? No sabía qué pensar, a quién creerme. No había visto nunca unas marcas de la varicela como esas.

—¿Vienes, Petey? —me preguntó Doug indicándome con la mano que le siguiera.

Asentí con la cabeza, aunque no me había dado cuenta de los mosquitos. Había estado demasiado ocupado intentando evitar que me diera un soponcio.

Sentí la brisa refrescante acariciándome la cara, aliviando mis encendidas mejillas. Yo no tenía una sola picadura, pero parecía que Doug y Jake fueran el manjar preferido de los mosquitos. Mientras subíamos por la ladera de la colina, fingí espantarlos a manotazos como ellos. Jake y Doug resbalaron y patinaron tanto como yo cuando fui desabrido con Annie. El valle tenía sus propias maneras de protegerse.

Pero no podía hacerlo todo. Pensé en la jabalina en el fondo del valle, intentando velar por sus crías, con la pata sangrando. Esperé que se mejorara. Ojalá la hubiera podido ayudar más...

Pero no. Era un gallina. Un cobarde que ni siquiera había defendido a su hermana.

Abandonar el valle era lo mejor que ahora podía hacer. Largarme de él y mantener a esos chicos lo más lejos posible de la cerda salvaje. Y también de Annie.

Al menos podía hacer esto.

—No te enfades conmigo, Annie —musité al pensar que iría al valle y pasaría la tarde sola.

Pero pasarla sola era mejor que no que se encontrara con esos chicos. *¡Eh, valle!*, pensé volviendo la cabeza cuando alcanzamos la cima. *A lo mejor la próxima vez puedes hacer alguna otra cosa para mantener alejados a estos idiotas. Los mosquitos funcionan de maravilla, pero ¿tienes por casualidad algún puma suelto por ahí?* Estaba bromeando, solo lo pensaba. No esperaba una respuesta. Pero de pronto mientras daba el siguiente paso vi la serpiente de cascabel —seguro que era la misma porque estaba en la mata donde la vi por primera vez— sacando la cabeza y oliendo el aire meneando su lengüecilla negra.

Y el viento siseó: *sssssssssí.*

Capítulo 17

Al día siguiente papá llevó a Carlie a la guardería de nuevo. Por lo visto a mi hermana pequeña le encantaba jugar con bloques de madera, muñecas y cosas parecidas, en lugar de pasarse el día encerrada en el parque mirando la tele. ¡Y no me extraña! Papá también había advertido los lloros de Carlie, supongo. Hasta había vendido una vieja guitarra en eBay para sacar el dinero que le costaba la guardería. Me dejó alucinado. En aquella época creía que a papá solo le importaba su banda de música.

Me alegré por Carlie. Pero ahora yo estaba más atrapado en casa que mi hermana pequeña en su propio parque. Laura desconfiaba de adónde estaba yendo.

—Esos chicos me han dicho que no te han visto el pelo en toda la semana. ¿Qué has estado haciendo?

—Vagando por el monte —le respondí.

Me ofrecí para hacer la colada, la tarea que mi hermana más detestaba. Pensé que igual así se conectaría a internet y dejaría de estar encima de mí todo el rato. Pero Laura no se cansó de espiarme y de meterse conmigo hasta las dos del mediodía, hora en la que entró por fin al chat semanal del grupo de terapia para chicas adolescentes a las que no les bastaba con los dramones de sus propias vidas. O lo que fuera.

Cuando me dejó en paz, sentí como si pudiera respirar de nuevo. Lo cierto es que solo de mirarla ya se me revolvía el estómago, porque me sentía muy culpable por lo que les había soltado a los chicos sobre ella. Tenía que largarme de casa, dejar de darle vueltas al bochornoso incidente.

Annie no estaba en la laguna, pero vi una flor flotando en medio del agua. Seguro que había ido al fondo del valle a buscarme.

Como era de esperar, ahí estaba, sentada junto al riachuelo, jugueteando con la uña con los restos de la serpiente de barro.

Cuando llegué, no alzó los ojos. Supuse que estaba furiosa.

—Hola, Annie —dije rompiendo el silencio. Los insectos dejaron de zumbar—. ¿Has visto lo que he hecho? Todavía quedan los restos. Pensé que te gustaría.

—¿Qué es exactamente? —preguntó. ¡Uy, qué voz más fría! Seguro que estaba enojada.

Le conté mi idea de hacer una serpiente de barro que zigzagueara alrededor de las rocas —y tal vez incluso trepara a los árboles— por todo el valle.

—¿Y qué se supone que significa? —dijo Annie—. El arte tiene un significado, Peter. Ya te lo dije.

Dejé de hablar, helado. Había usado el mismo tono de voz que mi hermana cuando me llamaba palurdo.

—¿Qué te pasa?

—¿Crees que esto es arte? —me soltó ella—. Entonces dime por qué lo es. Dime qué idea luminosa se te ha ocurrido para que lo sea —añadió arrojando a la otra orilla del arroyo un pedazo de serpiente—. Algo que le interese a todo el mundo.

—Pues no lo sé, exactamente —respondí, preguntándome qué mosca le había picado. No parecía la misma de siempre. Annie era una chica mandona, pero no… cruel—. Quise transmitir que este valle, esta tierra, está tan vivo como una serpiente. Como yo —le expliqué. No me podía creer que yo hubiera pensado que esto le impresionaría. Al decirlo en voz alta me pareció una cursilada.

Y a Annie, como era de esperar, también se lo pareció.

—Seguro —me soltó desdeñosamente.

¿Qué? No sabía con exactitud qué quería decir, pero no podía ser nada bueno. Noté que las orejas me empezaban a arder, al igual que las mejillas.

—¿Seguro en qué sentido? Dime de una vez a qué te refieres.

—¡Me refiero a fácil, previsible! A algo seguro —me soltó, y tras levantarse, se alejó indignada, pero pude oír cada una de sus palabras con tanta nitidez como el gorjeo de los pájaros en los árboles de nuestro alrededor—. Es lo que pasa cuando un artista está demasiado asustado para intentar algo nuevo, algo real. ¿Estabas asustado, Chico Piedra?

¿Estaba asustado? ¿Por qué me preguntaba eso? A no ser que…

¡Oh, no! ¿Había estado en el valle el día anterior? ¿Había oído lo que Doug y Jake dijeron de Laura, lo que yo les *dejé* decir?

—Te encontrabas aquí, ¿verdad? —conseguí susurrar—. Ayer. Cuando estuve aquí durante horas. Oíste lo que los chicos me dijeron. Así que ya sabes la respuesta —añadí con la cara encendida.

Ella lo había visto todo. Y ahora me odiaba.

—Sí, estaba asustado, ¿vale? Soy un gallina, no lo puedo evitar. Ya no te molestaré más —dije volviéndome para largarme—. Ahora ya puedes seguir haciendo tu arte de pacotilla.

Me dolía el corazón. Tal vez los chicos que había conocido en el valle eran crueles, pero lo eran con todo. En cambio Annie solo lo era conmigo. Había creído que a lo mejor… había hecho una amiga.

Pero me había equivocado. Sentí un nudo en la garganta. Era hora de salir pitando de nuevo. Aunque ahora no tenía ningún lugar al que huir.

Cuando estaba a punto de dejar atrás la pradera, preguntándome por qué me había tomado la molestia de ir al valle y cómo había podido pensar que Annie era distinta a los demás, oí una palabra: «¡Espera!»

—Ayer no estaba aquí —dijo ella con voz extraña. Agarrotada—. No oí nada.

No quería escucharla, pero mis pies dejaron simplemente de moverse.

—Entonces ¿por qué me has preguntado si estaba asustado?

—Porque yo lo estaba.

¡Oh, no! Ella había estado asustada. ¿Por qué?

Ahora noté con más claridad su voz agarrotada. Estaba llorando. Me volví lentamente, sintiendo mi enojo irse de golpe. Annie estaba sentada en una de las rocas enormes donde no habíamos erigido un *cairn*. Los hombros se le agitaban tan convulsamente que temí que se cayera.

—Lo siento, Peter. He sido una cretina. Las serpientes… Seguro que eran maravillosas. No debí haberte dicho nada.

—¿Qué te pasa, Annie? —pregunté—. ¿Qué ha ocurrido?

—No me esperaste. Llegué cuando ya te habías ido, supongo. ¿Por qué lo hiciste?

—¡No pude quedarme! Había unos chicos con escopetas. Son malos, Annie. Uno casi me pega un tiro —dije, recordando lo asustado que me había sentido el día anterior, la sensación de vacío y malestar que noté en las tripas.

—¿Ah, sí? —repuso ella atónita, limpiándose la cara con el brazo—. ¿Quiénes son?

Suspiré frustrado. Fuera lo que fuera lo que le pasara a Annie, me lo diría a su debido momento. Mientras tanto yo le contaría lo de Jake y Doug, y la jabalina. Y de paso… se distraería. Tal vez podría aliviar así un poco su sufrimiento.

Al terminar mi historia —incluso habiendo omitido lo que Jake dijo de Laura—, Annie seguía temblando, pero ahora era de rabia.

—¡Qué espantoso! —exclamó ella—. Ojalá tuviera una escopeta. Les enseñaría a esos chicos lo que se siente al recibir un balazo.

Casi me eché a reír. Con su pelo corto rojo en forma de escarola agitándose parecía un erizo cubierto de púas.

—Creo que ayer estuve a punto de averiguarlo en mis propias carnes —dije—. Yo no quiero saber nada de escopetas, gracias.

—Yo ya sabía que a ti lo de ser un cazador no te va. Tienes alma de artista —observó Annie sin darme la oportunidad de preguntarle a qué se refería—. Te contaré un secreto —prosiguió—. Soy yo la que está asustada. Soy… una cobarde.

—¿Por qué crees eso?

Se encogió de hombros.

—Quiero hacer algo tan malo que me da miedo.

¿Quería hacer algo malo? ¿O se moría simplemente de ganas de hacerlo? Casi me echo a reír.

—¿Es algo muy malo? Consígueme una pala —dije—. Te ayudaré a esconder el cadáver.

Ella se rió de mi ocurrencia.

—No, no es un asesinato.

—Pues, ¿qué es? —pregunté, acomodándome al pie de la roca donde Annie estaba sentada y alzando la vista para mirarla, aunque el ángulo del sol me dificultara ver sus facciones. Ella casi resplandecía a contraluz.

—Quiero fugarme. De verdad. Pero no estoy segura de cómo hacerlo para que funcione.

Otra vez salía ese tema. Supongo que aún no se veía capaz de hablar de lo que de verdad le preocupaba. Y yo la entendía. Recordé que en el pasado planear mi fuga imaginaria me había ayudado a dejar de pensar en los gritos de mamá, y ahora a Annie seguramente también le permitía evadirse de lo que le angustiaba tanto.

—Tú ya tienes el saco de dormir y la cantimplora —dije—. Y las barritas de granola. Y yo el filtro para el agua aunque no sea más que el de la nevera, pero probablemente moriremos de una picadura de serpiente antes de contaminarnos con el *E. coli*...

—No te lo tomes a broma —me soltó malhumorada—. Hablo en serio.

—El *E. coli* también es algo muy serio. Como quieras —dije, y puse la misma voz que cuando le seguía la corriente a Carlie—. Ahora hablando en serio. ¿Qué más necesitamos?

Ella alzó una mano.

—Una brújula, creo, y sin duda un cuchillo, tal vez dos... —Siguió con la lista y me di cuenta de que había planeado a conciencia la fuga. ¿Hablaba en serio? No era posible. Pero...

La interrumpí.

—¿Y los anzuelos? —pregunté, levantándome para verle la cara. Puso los ojos en blanco, pero de pronto vi algo más. Su brazo. Rodeé la roca para mirarle el otro.

Tenía moratones en los dos brazos.

—¿Qué es eso, Annie? —pregunté señalando con el dedo las marcas.

—¡Nada! —exclamó escondiendo los brazos detrás de ella—. No son más que tonterías del campamento.

Por lo que sabía, no había ninguna actividad de un campamento artístico que te dejara magulladuras del tamaño de dedos.

—¿Te ha pegado alguien?

—¡Ha valido la pena! —respondió ella—. Las otras chicas se enojaron cuando critiqué sus acuarelas. Una se puso furiosa. De todos modos enseguida me salen moratones. Así que le dije a la supervisora del campamento que me iba a quedar en mi habitación durante la sesión de las acuarelas.

Toda la rabia que sentí el día anterior con Doug y Jake me volvió de sopetón.

—¿Cómo puedes decir que ha valido la pena? Alguien tiene que pararles los pies a tus compañeras. ¡Cómo se atreven a magullar a una chica con cáncer!

Aunque, pensándolo bien, si Annie las había criticado con el mismo tono de voz con el que me había llamado a mí cobarde, era de esperar que se sintieran tentadas de dejarle un cardenal o dos de recuerdo.

Pero aun así no estaba bien.

—¿Es que no saben que estás enferma?

—Sí, claro —dijo flojeándole la voz—. Y yo lo detesto.

—¿Por qué?

—¡Porque para ellas yo no soy más que una chica con cáncer! —exclamó casi gritando poniéndose en pie—. No soy Annie Blythe, una futura artista en el Museo de Arte Moderno, sino una chica rara —añadió haciendo rodar de un puntapié una piedra por el suelo y asustando a algunos insectos voladores pequeños—. Lo odio. Ni siquiera hablan conmigo. Me tratan como... si tuviera alguna clase de enfermedad.

El aire estaba cargado del canto de las chicharras y de las palabras que yo NO pensaba pronunciar.

Pero sí que solté una risita.

—Pues yo creo...

Annie también se partió de risa, cayendo al suelo.

—Vale, vale. SÍ que la tengo. Pero no es una enfermedad contagiosa. Me refiero a que no es la lepra ni nada parecido.

Me encogí de hombros y me senté a su lado.

—¿Es que no te acuerdas que acariciaste a ese armadillo? Ahora podrías ser una leprosa —dije, y ella me dio un empujón en broma. Caí al suelo de lado, quejándome.

Puso los ojos en blanco y pasó las manos por sus cortos rizos, como si estuviera comprobando si seguían ahí. De repente caí en la cuenta de que dentro de poco ya no los tendría. La radio o la quimio —no estaba seguro de cuál de las dos era— hacían que a uno se le cayera el pelo. Todas las chicas de mi clase de cuarto de primaria se habían dejado crecer el pelo para donarlo a Locks of Love, una organización que fabricaba pelucas para las sobrevivientes al cáncer. Me pregunté qué aspecto tendría Annie con el pelo vulgar y soso de las otras chicas. No sería demasiado bueno.

No era justo.

—De todos modos no seré la artista que deseo ser —observó ella en medio del silencio—. Ni nunca expondrán mis obras en el Museo de Arte Moderno de Nueva York ni en ninguna otra parte. Seguramente no me quedará bastante cerebro para hacer arte.

—¿Estás segura?

—No —respondió—. Pero he hecho algunas indagaciones.

—¿En internet?

Annie asintió con la cabeza.

—He entrado a escondidas en Lucky Leuks, el chat para padres con hijos con leucemia en el que mi madre participa. No sabe que conozco su contraseña. Se ve que cuando los niveles son tan altos como los míos, al recaer por segunda vez…, pues solo te diré que es mejor que se me ocurra alguna buena idea esta semana. Porque dentro de un par de meses tendré que volver a aprender a atarme los zapatos.

—¿Estás segura? —tuve que preguntarle—. Quizá no sufras ningún efecto secundario. Mi madre siempre dice que hay que esperar lo mejor en la vida —añadí, aunque yo lo detestaba cuando lo decía.

Annie se encogió de hombros.

—Efectos secundarios. Si quieres que te sea sincera, esperar lo mejor es lo que estoy haciendo ahora. Me refiero a que tal vez ni siquiera pueda atarme los zapatos. Conozco a un chico del centro oncológico MD Anderson al que le pasó. Las habilidades motoras finas son de las primeras cosas en jorobarse. Pero mamá nunca me lo iba a contar. No, tuve que descubrirlo en el maldito internet.

—¿Tu madre no te ha hablado de… los efectos secundarios?

—¿Te refieres a si me ha mentido? Sí, claro. Me dijo que serían de poca monta, que a los pocos meses ya me habría recuperado y que si patatín y si patatán. Como la última vez —dijo, apagándosele la voz y luego se aclaró la garganta—. Pero cuando se enfrentó con los médicos para poder llevarme al campamento la oí por casualidad hablar por teléfono. Y después vi lo que sus amigas le habían estado contando, lo que sabe que va a pasar… Supongo que no quería que yo me enterara. Tal vez tenga razón.

—¿Razón? ¡No! —exclamé estremeciéndome—. Siempre es mejor saber la verdad.

—¿Estás seguro? —preguntó ella con frialdad—. Si tuvieras una enfermedad en la que te fueran a amputar algo, ¿preferirías ir a la sala de operaciones siendo consciente de ello? Me refiero a que tendrías todo ese tiempo para preocuparte, para ponerte histérico. Que es justamente lo que ahora me está ocurriendo —añadió riendo en voz baja—. ¿O preferirías despertarte de la intervención sin un miembro… o sin el funcionamiento de una parte del cerebro?

Cavilé en la disyuntiva mientras las nubes desfilaban por el cielo. Nos quedamos callados los dos.

—Yo preferiría saberlo. Sin la menor duda —acabé respondiendo.

—Sí —asintió—. Por eso estoy buscando información en internet sin que se dé cuenta. No creo que mi madre me diga lo que me espera. Seguramente se ha imaginado que si yo pudiera decidir… Bueno, al menos seguiré siendo quien soy tanto tiempo como… —la voz se le apagó de nuevo, y me pregunté a qué se estaría refiriendo. Creí saberlo.

Annie decidiría no someterse a la radioterapia.

¿Decidiría simplemente… morir? ¿De verdad?

Se me hizo un nudo en el estómago. No quería pensar en lo que ella quería decir, no quería hablar de ello.

Pero si eludía el tema sería como su madre. Aspiré una bocanada de aire para echarle coraje, preguntándome cómo iba a expresarlo, qué podía decirle para que no se sintiera aún peor.

Pero no me dio tiempo a decir nada. Annie se levantó de pronto, se limpió las manos y tiró de mí para que me pusiera en pie.

—Necesitamos materiales artísticos —sugirió—. Vayamos a la parte más profunda del valle para ver si los encontramos. Creo que me apetece hacer algo que requiera una gran coordinación manual y visual.

—¿Te encuentras… bien? —dije. ¡Qué pregunta tan estúpida le acababa de hacer!

—Sí, no te preocupes. Solo necesitaba hablar de ello —dijo, simulando una voz alegre mientras se bajaba las mangas para cubrirse los moratones.

Quería pedirle que dejara de fingir. Por más que tuviéramos que mentirle a la gente para salirnos con la nuestra, por más que tuviéramos que fingir los dos —yo debía fingir ser alguien que no era para contentar a mi padre, y ella debía fingir que no le importaba que sus compañeras la trataran como a una leprosa y que los médicos la obligaran a someterse a un tratamiento sin explicarle nadie las consecuencias—, en el valle la sinceridad parecía ser la única opción.

Como si en él fuera importante ser sincero, tanto con los demás como con uno mismo, aunque no pudiéramos serlo en ninguna otra parte.

Sobre todo por eso.

Capítulo 18

Dos horas más tarde había trepado a un montón de árboles y cortado más parras marchitas de las que hubiera creído que pudieran existir.

—Estamos haciendo una telaraña —me explicó Annie cuando por fin tuve el valor de preguntarle por qué habíamos acumulado una pila de parras de tres metros de ancho por uno de alto.

—¿Una telaraña? —repetí. Quería preguntarle por qué era eso arte, pero decidí dejarlo correr.

—Bueno hoy no la verás, no estará lista hasta mañana.

Una sombra se cernió de pronto sobre nosotros, alcé la vista. En el borde del valle se estaban apelotonando un montón de nubarrones. Probablemente caería pronto un buen chaparrón. Era hora de irnos. Tal vez nos habíamos demorado demasiado.

—Es mejor que nos demos prisa, Annie, o nos vamos a quedar empapados hasta los huesos.

Si mi madre me veía con la ropa mojada, me metería en un buen lío. Oí el estruendo de un trueno a lo lejos, como si el cielo me diera la razón.

—Sí, regresemos —dijo Annie—. Creo que he perdido la noción del tiempo —añadió, sacando la cámara y echándole una foto rápida a la pila de parras.

Subimos a toda prisa la ladera de la colina, Annie se paró

un par de veces para llevarse las manos a la cabeza. Supongo que le volvía a doler. Al llegar a la cima se despidió de mí agitando la mano.

—Hasta mañana —dijo, y luego se fue pitando.

Antes de volverme para echar a correr vi de nuevo la figura de la mujer del Coronel en la ladera de la colina. Esta vez la vi más de cerca, y era sin duda ella. Estaba trabajando alrededor de algunos árboles. Casi parecía como si estuviera cortando parras. ¿Nos había estado espiando a Annie y a mí? Tal vez se sentía sola. A lo mejor quería que la invitáramos a hacer las telarañas con parras.

—Lo siento, señora, este valle no es lo bastante grande para los tres —le susurré al viento.

A los pocos segundos la mujer del Coronel alzó la vista y la oí gritar:

—Pues a mí me parece que sí lo es. ¡Y ahora lárgate a casa antes de que te mande un enjambre de abejas!

La brisa acarreó sus carcajadas.

¡Madre mía! Retrocedí un paso. ¿Cómo me podía haber oído? ¿Acaso ella podía hablarle al valle?

—Lo siento —farfullé, y el viento también atrapó estas palabras. La mujer del Coronel hizo un ademán con el brazo para que me largara de una vez y siguió cortando algo.

Yo también me di la vuelta y corrí a casa esperando llegar antes que mis padres.

Aunque mamá dijera siempre que era preferible esperar lo mejor en la vida, en este caso se había equivocado de lleno. Habría sido mejor, muchísimo mejor, quedarme en el valle.

Mamá había regresado a casa antes de lo acostumbrado. Cuando llegué me estaba esperando ante la mesa de la cocina, justo frente a la entrada. En cierto modo entendí por qué estaba preocupada por mí. Nunca había visto una tromba de agua tan fuerte, y al cruzar el jardín la lluvia parecía más bien granizo por los goterones que caían. Estaba empapado hasta los huesos.

Mamá tenía la cara llorosa y una pila de pañuelos de papel frente a ella sobre la mesa. ¿Había estado llorando por mi culpa? Quise pedirle perdón, pero no me dio tiempo. Se puso enseguida a gritar.

—Pero ¿qué diantres te pasa, Peter Edward Stone? ¡Eres un irresponsable! ¿Cómo se te ocurre largarte a un lugar desconocido sin decirle a nadie a dónde ibas? Y lo peor de todo es que mentiste en cuanto adónde estabas —añadió con la nota que le había dejado a Laura hecha una bola estrujada en la mano: «Estoy durmiendo, no me despiertes». Esta vez la había dejado colgada en la puerta de mi habitación. Pero por desgracia tenía que haberme currado más mi fuga, porque no se me ocurrió que Laura entraría de todos modos a comprobar si yo estaba durmiendo.

—¿Es que no se te ha ocurrido siquiera qué habría hecho tu hermana en este lugar de mala muerte si te llega a pasar algo?

¿Lugar de mala muerte? Era la primera vez que oía a mamá hablar de nuestro nuevo hogar en términos negativos.

—Si te hubieras hecho daño, te podrías haber muerto. El hospital más cercano queda a sesenta kilómetros de aquí y encima la carretera está llena de baches, la línea telefónica ha estado cortada durante horas por alguna razón y los móviles ni siquiera funcionan en este lugar —me soltó agitando el móvil ante mí como si yo tuviera la culpa.

—Estoy bien, mamá —le dije para que se calmara, pero habría sido mejor no haber abierto la boca. Volvió a exaltarse.

—Esta vez no te ha pasado nada, pero ¿y la próxima? Laura ha estado muy preocupada por ti. Cuando por fin consiguió llamarme, tuve que salir antes de la hora del trabajo, por lo que me perdí dos reuniones muy importantes. ¿Y para qué?

¿Para que tú pudieras vagar por la colina a tus anchas? Pasando todo ese tiempo solo… porque estabas solo, ¿verdad?

Tenía que contarle lo de Annie. Quizá lo entendería. Tal vez incluso me sugeriría qué podía decirle a Annie sobre el cáncer que padecía.

—No, tengo una amiga…

—¡Ni se te ocurra mentirme! —exclamó mamá interrumpiéndome—. Laura me ha contado lo que le dijeron esos chicos, que no habías estado con ellos en toda la semana. Ni siquiera fuiste a su casa.

No me lo podía creer. ¿Por qué Laura se había chivado hoy de nuevo?

—¿Y? —me gritó mamá prácticamente en la cara—. ¿Es que no tienes nada que decir?

Ni siquiera estaba seguro de que me estuviera haciendo una pregunta. Me encogí de hombros por si acaso era así. No tenía idea de qué debía responderle.

—¡Tú te lo has buscado! —me soltó sacando una pila de prospectos, que parecían folletos de propaganda. Los agitó ante mis narices—. Si fueras más pequeño, te habría metido en la guardería con Carlie sin pensármelo dos veces, pero como ya eres mayor, irás a un campamento.

—¿Un campamento? —¿Los folletos que sostenía en la mano eran de un campamento de verano?

—Sí, un campamento. Es hora de que hagas manualidades, juegues al fútbol y cantes con otros chicos. Todas las cosas que dices detestar sin ni siquiera haberlas probado.

—¡No quiero ir! —protesté sintiendo las mandíbulas tensas; estaba apretando tanto los dientes que me dio la sensación de que se me iban a partir. No podía imaginarme un peor verano que el que mis padres habían planeado para mí. Ya lo había pasado fatal en el colegio. Este verano era la única oportunidad que tendría en toda mi vida de estar solo, de ser quien era, en lugar de intentar ser como el resto del mundo constantemente.

—Siento que no quieras ir, pero ya está decidido. Tu padre y yo lo hemos estado hablando durante un tiempo. No tenemos bastante dinero para mandarte a un campamento de esos en los que te quedas a dormir, pero hay un montón de campamentos por los alrededores y sabe Dios que tu padre tiene tiempo de sobra para llevarte y recogerte.

¿Habían estado hablando de mí... hacía ya tiempo? ¿De mandarme a un campamento? Parecía ser lo que a papá le gustaría, desde que yo tenía cuatro años me había dejado muy claro que debía «cambiar». Ser más como él. Pero había creído que mamá... ¡no! Esos folletos no los había reunido de la noche a la mañana. Sentí que las mandíbulas se me tensaban con más fuerza. Había sido un plan muy meditado.

—Puedes elegir el campamento que quieras, pero no pienso dejar que eches a perder tu vida. Acabarías siendo un solitario, un marginado de la sociedad...

Se me hizo un nudo en el estómago, pero tenía que defenderme.

—Tal vez me guste ser un solitario —le interrumpí—. Quizá soy un marginado después de todo.

Tenía que aprender a mantener la boca cerrada.

—¡Tal vez podrías intentar entender por qué esto es tan importante para nosotros! —me soltó mi madre—. ¡Nos has tenido muy preocupados, hijo! Y al parecer ni siquiera te importa. ¿Cómo puedes haberte largado, haberte escapado después de lo que escribiste en tu diario el año pasado?

—Te dije que no era más que un relato —le recordé—. Me prometiste que no volveríamos a hablar más del tema.

A mi madre se le empañaron los ojos.

—Escribiste una historia sobre un chico que se fugaba y... y...

Al levantarme de golpe, la silla cayó hacia atrás.

—¡Te dije que no era más que un relato! Y además no tenías que haber fisgoneado en mi diario —le solté casi gritando. Mi tono de voz hizo que me doliera la cabeza, pero al menos mi madre dejó de echarme un sermón.

—Peter —dijo ella ahora con más dulzura, al borde del llanto. No podía soportarlo, era peor que sus gritos—. Sabes el susto que yo, y todos nosotros, nos llevamos contigo. Creímos que era por aquellos chicos. Por eso nos vinimos a vivir aquí, Peter. Por ti. Pero desde que nos hemos mudado te has ido encerrando cada vez más en ti mismo.

No es cierto, quería decirle. Al menos no lo hacía cuando estaba con Annie, y tampoco en el valle. Solo me aislaba en casa. Pero no podía decirle eso. Un campamento. Iba a mandarme a un campamento. Para mí fue la señal que me revelaba sin lugar a dudas que mamá tampoco entendía quién era yo, que le daba igual.

—¿Qué pasa, Peter? ¿Acaso lo sabes?

La lluvia repiqueteó de pronto con más fuerza sobre el tejado, imitando el martilleo de mi corazón. Tenía que largarme de la cocina. Estaba a punto de derrumbarme, como si cada palabra que mi madre había dicho me estuviera aporreando como la lluvia, como el granizo, y si seguía así no lo iba a soportar.

—¿Qué pasa? —repitió ella, aunque la palabra que no dijo era tan audible como el resto. ¿Qué *te* pasa?

Me quedé plantado con los prospectos en la mano como si fueran una condena y mi madre la jueza que me la imponía. Estaba esperando mi respuesta y yo sabía que no quería oír la verdad. No la entendería.

Sabía exactamente lo que me pasaba. Y lo dije, en voz baja pero clara, antes de irme a mi habitación para quedarme en ella el resto de la noche rompiendo los prospectos hasta reducirlos a pedazos del tamaño del confeti.

—Supongo que nací en la familia equivocada.

Capítulo 19

La lluvia no me dejó dormir aquella noche. O al menos creo que esa fue la razón. Oí a mis padres peleándose de nuevo y me desperté creyendo haber oído los llantos… de mamá. Pero tal vez no fuera más que la lluvia.

A la mañana siguiente Laura ya estaba acaparando el baño. Pero había dejado un plato con galletas junto a mi puerta con una nota: «Lo siento». Deseché las galletas. El embrollo que había causado no se iba a arreglar con unas simples disculpas.

Durante el desayuno papá me preguntó si ya había elegido un campamento.

Ni siquiera le respondí. Decidí que cualquier palabra que les dijera sería una pérdida de tiempo. Sonidos… vacíos. Como era evidente que no servían de nada en cuanto salían de mi boca, decidí dejar de hablar.

Papá me lo volvió a preguntar. Sacudí la cabeza.

—Pues lo vamos a elegir ahora. ¿Dónde están los prospectos?

Fui a la habitación, recogí la pila de confeti y volví a la cocina. Cuando los esparcí sobre la mesa, mi padre ni siquiera parpadeó.

—Muy bien —dijo—. Lo he entendido. Estás enfadado. Pero vas a ir de todos modos. Tu madre y yo lo elegiremos por ti —añadió sonriendo ante su taza de café—. Tal vez será un campamento de equitación. Siempre quise montar a caballo.

Pues yo no, quise decirle.

Carlie era la única que parecía advertir que yo no abría la boca. No cesó de gritar «¡Peep! ¡Peep!» Cuando vi que, angustiada, empezaba a gimotear «¡Peep!» con una voz quebrada que me partió el corazón, le susurré unas pocas palabras. Pero me aseguré de que no hubiera nadie lo bastante cerca como para verme u oírme.

Y eso que no me quitaban los ojos de encima.

Sobre todo Laura. Creo que se sentía culpable.

—Lo siento mucho, Pete —se disculpó despegando los ojos de la pantalla del ordenador cuando pasé por delante de su habitación—. No creí que se fueran a pasar tanto contigo. ¡Pero no acabo de entenderte! Nos mudamos a este lugar para alejarte de esos gilipollas. Y aquí no es tan difícil hacer nuevas amistades y conseguir que mamá y papá te dejen en paz. Hay esos dos chicos que quieren ser tus amigos. Solo tienes que aprender a abrirte.

Indignado, rompí el silencio al oírla.

—¿Quieres que tenga amigos que le quitan la escopeta a su padre sin que él se entere y que me apuntan para meterme miedo? ¿Y que han llegado a dispararme? ¿Es que quieres verme muerto?

Laura se quedó boquiabierta y dejó de pronto de teclear.

—¡Dios mío! ¿Lo dices en serio? ¡Pete, espera! —gritó, y trató de alcanzarme, pero yo ya estaba en mi habitación con la puerta cerrada. Ya podía estar llamando todo el día. No pensaba dejarla pasar. Carlie era la única persona que me importaba.

Bueno, y Annie. Como seguía lloviendo me imaginé que ella no iría al valle al día siguiente. Pero un día más tarde, el viernes, yo seguía atrapado en casa, con papá mirándome con la expresión escrita en su cara de «No te entiendo Peter». Annie estaba en el valle, pero yo no.

El día siguiente fue sábado y mamá estaba en casa al tener fiesta. O sea que no me podía largar.

Annie solo estaría en el campamento una semana más. No era justo. No había ninguna forma de escapar, no podía hacer que los últimos días que le quedaban antes del tratamiento fueran valiosos para ella ni tampoco había nadie a quien yo le importara lo bastante como para escuchar por qué tenía que salir de casa. Mamá había pillado que yo no quería hablar con ellos y dijo que las únicas palabras que quería oírme decir era una disculpa por haberles faltado al respeto.

No pensaba disculparme nunca. Cuando había empezado a soñar con fugarme —no del modo en que Annie y yo habíamos estado hablando—, sino en serio, oí el timbre de la puerta.

Mamá salió a ver quién era y me sorprendí al reconocer la voz de la visitante. Era la mujer del Coronel. Ella y mamá charlaron un rato, presentándose la una a la otra.

—¿Está ese jovencito llamado Peter en casa? Es su hijo, ¿verdad? Tengo una tarea para él si quiere ganar un poco de dinero y si usted no lo necesita. Mis manos ya no son lo que eran. Por culpa de la artritis.

—Es que está castigado —dijo mi madre titubeando.

—¡Ajá! ¿Y por eso no puede ayudar a una anciana a ocuparse de las parras? Le prometo que, sea cual sea el castigo que haya pensado ponerle, esto que le propongo será aún peor. Si pasa un día conmigo, creo verdaderamente que lo lamentará... Por cierto, ¿qué es lo que ha hecho?

—Irse de casa sin permiso. Y tiene usted razón, hacerlo trabajar parece un castigo perfecto para él —afirmó mamá—. Y además lo hará gratis. Después de todo somos vecinos.

Por su forma de hablar parecía muy animada. Probablemente estaba encantada de perderme de vista.

En cuanto a mí, me alegré de poder irme, incluso cuando la mujer del Coronel me entregó los guantes de jardinería, unas siniestras tijeras de podar y una botella de agua del tamaño de una garrafa.

—Hoy lo necesitarás chico —dijo—. Nos queda por delante un montón de trabajo por hacer.

Ambos nos montamos al *kart.* Ignoré a mamá y papá, que me estaban mirando con cara de preocupación. Creo que no se esperaban esta clase de vehículo. O quizá fueran los cascos decorados con llamas.

—¡No se preocupen! —gritó la mujer del Coronel dando marcha atrás con el kart por la entrada cubierta de gravilla lo bastante rápido como para que salieran despedidas un montón de piedrecillas que fueron a dar a un lado de la casa—. Se lo traeré de vuelta a la hora de cenar. ¡Tal vez incluso con todos los dedos de la mano! —añadió riendo socarronamente mientras se largaba como un rayo, ignorando el grito horrorizado de «¡Espere!» de mamá, que pude oír incluso por encima del estrépito del motor.

La mujer del Coronel —me contó que en realidad se llamaba señora Empson— no mintió al decir que tenía un trabajo para mí. Me llevó con el *kart* a la cima del cerro donde vivía, a medio kilómetro de su casa.

—Tienes que cortar cualquier enredadera que no sea una parra —dijo entregándome un montón de bolsas de basura—. Todas las plantas trepadoras y esas zarzaparrillas. Ándate con ojo con las espinas, son tan afiladas como cuchillos... Córtalas desde la base. No las arranques de cuajo porque de nada serviría. Se aferran al suelo de piedra caliza con más voracidad que un bebé a su biberón.

Me quedé mirando las tijeras de podar en mis manos cubiertas con guantes y luego la punta triangular de su casa alzándose a lo lejos.

—¿Tengo que limpiar todo este seto de parras tan largo?

Ella se echó a reír.

—¡Pues sí! Cuando llenes una bolsa, déjala en el suelo que yo vendré a recogerla. No te olvides de beber agua. Iba a decirte que tengas cuidado con las serpientes, pero no creo que tú debas preocuparte por ellas.

No estaba seguro de a qué se refería. ¿A mis botas? ¿O a alguna otra cosa? Pero se largó en el *kart* antes de que pudiera preguntárselo. Me puse manos a la obra. Meter en las bolsas las plantas que cortaba fue lo más fatigoso del trabajo. La señora Empson tenía razón sobre las zarzaparrillas. Sus espinas se quedaban clavadas en las bolsas haciendo que me fuera casi imposible meterlas dentro. Acabé con los brazos cubiertos de rasguños por forcejear con las más largas.

No sé cuánto tiempo llevaba trabajando, pero estaba sudando a mares. El sol se hallaba en su cenit y deseé que mi madre me hubiera sermoneado hasta la saciedad dos noches antes, porque al menos ahora no tendría que romperme el lomo trabajando gratis para una vieja chiflada todo el fin de semana.

De pronto una sombra se cernió sobre mí.

—Supongo que debía haberte advertido sobre la hiedra venenosa —dijo una voz.

—¡Qué...!

La señora Empson estaba plantada ante mí, llevaba un sombrero de ala ancha enorme que la protegía tan bien de la luz del sol que ni siquiera le pude ver la cara. Pero su voz sí que la oí, se estaba partiendo de risa a mi costa.

Bajé la vista. Las enredaderas que yo sostenía en las manos eran distintas de las otras... ¿Acaso eran hiedras venenosas? Conté las hojas verdes y relucientes de cada tallo. Tres. ¡Oh, no! Y las había estado sosteniendo con los brazos desnudos.

Arrojé el fardo al suelo.

—¡Tengo que ir a lavarme los brazos! —exclamé. Sabía que todavía no me iba a escocer, pero me entraron ganas de rascarme como un loco al pensar que había estado toqueteando un montón.

—No hace falta —repuso ella—. De todos modos ya te queda poco para acabar. Ve a la Laguna Bonita y lávate los brazos. Así no te saldrá ninguna erupción en la piel.

—¿La Laguna Bonita? —dije, y, echándome al hombro la última bolsa que había llenado de hierbajos, nos encaminamos calmosamente hacia su casa. Me sorprendí al ver que casi ya no nos quedaba ninguna trepadora por cortar, el trabajo me había cundido mucho.

—No estoy segura de qué nombre le habéis puesto tú y Annie (se llama así esa chica, ¿verdad?) a la laguna, supongo que cada persona que la descubre la llama de distinta forma. Cuando el Coronel falleció, empecé a pasar cada vez más tiempo en el valle y descubrí la laguna. Y también descubrí algunas otras cosas más de él. Y sospecho que tú también lo harás.

En sus labios afloró una sonrisa que se esfumó más deprisa que un caballito del diablo. Me pareció tan misteriosa como cualquier otra cosa que hubiera visto en el valle. Como si la anciana supiera un secreto maravilloso.

—Prométeme solo que permanecerás en silencio. Al valle no le gusta el barullo. No quiero oírte aullando por ahí abajo. Ya sabes que los sonidos se propagan por el campo.

—Se lo prometo —afirmé. No le dije que ya le había prometido lo mismo al valle. No quería que creyera que estaba tan pirado como ella.

—Um —gruñó como si pudiera leer mis pensamientos—. Te crees muy listo, ¿verdad? —dijo arrojando el contenido de su bolsa y de la mía sobre una pila, cerca de un barril que parecía haber servido para quemar la basura de un siglo.

Me rasqué los brazos.

—Laguna Bonita —musité para mis adentros. Había creído que los nombres de Annie, efervescente o serendipia, eran una buena elección. Pero la simplicidad de Laguna Bonita... le iba como anillo al dedo.

—¿Cree que si me lavo los brazos en la laguna no me saldrá una erupción?

La anciana se encogió de hombros.

—Vete a saber. El valle se protege a su manera. Si me ayudas a cortar esos pocos racimos de uvas que quedan, podrás ir adonde tú quieras durante dos horas. Creo que tu amiguita te ha estado esperando.

—¿Annie? —pregunté deseando largarme pitando en ese mismo instante—. Pero... estoy castigado. Mis padres me van a matar si se enteran de que he vuelto al valle.

—¿Acaso se lo vas a decir tú? —dijo deteniéndose junto a una gran cesta de mimbre y cogiendo sus tijeras de podar—. ¡Vaya!, aquí me he pasado un poco. Ya he cortado demasiada uva. Solo hace falta que lleves la cesta a casa y ya te puedes ir volando.

—De acuerdo —respondí.

¿Había estado ella recogiendo uva? Todas las que yo había visto seguían de lo más verdes, ni siquiera habían madurado un poco.

Eché un vistazo a la cesta. La anciana estaba sin duda como una cabra. Había recogido uva verde. No era comestible. Yo lo sabía. Supongo que podía hacer lo que quisiera con ella porque las parras crecían en su propiedad. O al menos era su seto vivo. Pero me parecía una lástima no haberlas dejado madurar.

—Piensas en voz alta, chico —dijo ella, rompiendo el silencio—. No hablas demasiado, pero siempre estás pensando, ¿verdad?

Al cabo de un segundo, asentí con la cabeza. Habíamos llegado a su casa. Deseaba entrar, pero me quedé mirándome los pies.

—Tengo las botas llenas de barro —le advertí.

Ella se encogió de hombros.

—Pues déjalas aquí. Te las limpiaré mientras vas a ver a Annie.

—Pero me harán falta —empecé a decir, aunque al ver que me miraba como si quisiera hacerme entrar en razón, no terminé la frase.

—No, no las necesitarás —dijo—. ¿Nunca has bajado corriendo descalzo al valle? Pruébalo. Te prometo que, si tú eres lo que creo, no te clavarás una sola astilla.

Vale, qué raro. Pero por mucho que dijera no pensaba sacarme las botas y recorrer varios kilómetros correteando descalzo por un lugar con cactus, enredaderas espinosas y serpientes. Es verdad que me las había sacado un día junto a la laguna, pero solo lo había hecho sobre las rocas planas. Solo alguien que no estuviera en sus cabales bajaría corriendo por la ladera de la colina descalzo. Pero fui lo bastante amable como para no decírselo.

¿A qué se refería al decir de mí «si tú eres lo que creo»? ¿Qué creía ella que yo era?

La anciana abrió la puerta de la cocina, un rectángulo de madera maciza que parecía tener un siglo de antigüedad. Dentro reinaba un verdadero caos: había por todas partes uvas verdes, tarros de cristal y ollas y sartenes. No dije nada, pero me pregunté si una mujer tan mayor y... bueno, que no estaba bien de la cabeza... debería vivir sola.

—Me gusta vivir sola —afirmó, aunque yo no hubiera dicho lo que pensaba en voz alta—. Me gusta ser la que decida lo que quiero hacer y cuándo hacerlo —añadió en un tono rezongón—. Me gusta ser yo misma y no tener que disculparme con nadie por ser como soy y quien soy —apostilló sacándose el sombrero y mirándome de reojo—. Tú ya sabes a lo que me refiero, ¿verdad?

Al principio no pude responder. Quizá la anciana estaba como una regadera o tal vez era vidente, porque acababa de describir con toda exactitud cómo me había sentido... prácticamente toda mi vida.

—Sí —dije al fin—. Lo sé.

—Vete corriendo, chico —me susurró la señora Empson. Levanté la vista, sobresaltado.

Carraspeó y me guiñó un ojo.

—Vete corriendo al valle —dijo—. Ya no te necesito. Regresa en un par de horas, que te daré un bocadillo y te llevaré de vuelta a casa. ¡Y ahora lárgate con viento fresco!

No tuvo que repetírmelo por segunda vez. Me largué.

Annie no estaba en la Laguna Bonita, pero me detuve el tiempo suficiente para sumergir los brazos y las manos en el agua. En el último instante me salpiqué también la cara. Me produjo una sensación muy agradable, aunque no sabía con certeza si esto me serviría para contrarrestar los efectos de la hiedra venenosa que había estado toqueteando toda la mañana.

A los pocos minutos ya me encontraba en la pradera cubierta de flores silvestres. Al llegar hasta el último roble vi a alguien plantado de espalda —totalmente inmóvil—, pero esta chica tenía el pelo blanco y sedoso. Un cabello precioso, envuelto en una nube.

Al acercarme más descubrí que era Annie. Tenía las manos cerradas a los costados... llenas de... ¿tallos de dientes de león?

Y eso era lo que tenía en el pelo. Miles de semillas flotantes de dientes de león. Tal vez decenas de miles.

—¿Annie? —pregunté después de plantarme ante ella y ver que tenía los ojos abiertos. Estaba quieta como una estatua, con una sonrisa de felicidad en la cara que nunca antes había visto, aunque las lágrimas le brillaban en los ojos.

—Mírame —dijo soltando unas risitas—. Soy arte.

Y en cierto modo lo era, aunque transformado.

—¿Lo has hecho tú? —le pregunté. Debía haber tardado lo suyo en cubrirse el pelo con esas semillitas flotantes.

—No —musitó sin mover la cabeza siquiera—. No he sido yo.

¿Qué? No lo entendía. ¿Había estado alguien más con ella en este lugar?

—Entonces, ¿quién…?

—No ha sido nadie —susurró.

—Pero ¿cómo puede ser? —dije atónito.

¿Cómo era posible que se hubiera transformado… en un diente de león descomunal del tamaño de un humano.

—Dime, ¿hay tantas semillas como creo? —me preguntó—. Porque no tengo un espejo.

—Sí —repuse rodeándola para apreciar lo gruesa que era la capa de semillas alrededor de su cabeza. Casi ocultaba del todo su pelo rojo—. Venga, ahora hablando en serio, ¿cómo es posible?

Volvió a soltar unas risitas.

—Después de todo, sí debo de ser la chica de los deseos. Mientras soplaba las semillas de dientes de león para hacerlas volar por el aire —me contó alzando una mano con cuidado—, deseé que alguien acudiera a hacer arte conmigo. Y entonces cerré los ojos y noté un vientecillo envolviéndome. Y las sentí llegar. Hace una hora que me están rodeando. Al menos eso creo, porque he perdido la noción del tiempo.

Asentí con la cabeza, entendiéndolo. En este valle los deseos se acababan cumpliendo de algún modo.

—¿Puedes sacar mi cámara y hacerme una foto? Quiero verlo —musitó. Me agaché para sacar la cámara de la bolsa que había dejado junto a ella e hice una docena de fotos desde todos los ángulos.

—¿Y ahora qué? —pregunté—. Parece que ya hemos creado una obra de arte por hoy.

—Eso creo yo también —dijo Annie—. Pero tengo algunas otras ideas. Podemos hablar de ellas más tarde. Ayúdame a sacarme de encima soplando estas semillas, ¿quieres?

Sacudió la cabeza y cientos de semillitas voladoras se quedaron flotando por sus hombros y sus brazos.

—¿Quieres que las sople como si fueras un diente de león gigantesco? —pregunté, sonriendo yo también.

Ella asintió con la cabeza.

—Y no te olvides de pedir un deseo.

Cerró los ojos y se mantuvo inmóvil mientras yo me inclinaba hacia ella tomando una buena bocanada de aire.

—Deseo... —dije en voz alta, pero ella no me dejó terminar.

—¡No! —exclamó—. No lo digas en voz alta, que no se cumplirá.

—De acuerdo —respondí, y pedí mi deseo mentalmente.

Las hojas de los árboles empezaron a agitarse y moverse de pronto. Aspiré de nuevo una bocanada de aire, y al soplar alargando los labios, una ráfaga de viento potentísima se unió a mí, mandando las semillas flotantes que habían estado en el pelo de Annie por el aire; parecían un gigantesco manto blanco como la nieve.

—¡Caramba! —exclamó Annie alucinada contemplando las semillas blancas ascender cada vez más y más por el cielo.

Se puso a agarrar las que quedaban —aún había un montón— y las esparció por sus pies.

—De modo que este valle es realmente mágico, ¿verdad? —dijo al cabo de un rato.

—Eso creo —respondí y luego le conté lo que la mujer del Coronel me había dicho acerca de ir descalzo y lavarme los brazos en la Laguna Bonita.

—¿Laguna Bonita? —repitió Annie burlonamente—. ¿Qué nombre es ese?

—Es sencillo, pero me gusta —respondí.

—¡Vaya! Laguna Bonita, en lugar de Evanescente, Lúgubre o Sempiterna... Bonita —dijo sacudiendo la cabeza—. Pero... es verdad, no se puede negar que es una Laguna Bonita. Regresemos allí. Quiero nadar en sus aguas.

—¿Nadar? —dije, tragando saliva con fuerza. ¿Sin bañador? ¡Qué ideas se le ocurrían!

—Tal vez aún tengas restos de hiedra venenosa en los brazos —me recordó bromeando mientras echaba a correr saliendo con ventaja—. ¡El último en llegar tendrá que meterse en el agua con zapatos! —gritó.

¿Corría Annie más deprisa que yo? Normalmente no era así, pero ese día era distinto. Corrí con todas mis fuerzas, pero era como si la ladera de la colina me obligara a ir más despacio, agarrándome las botas y los dedos de los pies, y tumbándome de golpe. Aunque ahora que lo pienso, incluso cuando me caí sobre lo que yo habría jurado que era una zona llena de cactus no se me clavó una sola espina.

Llevaba días sin pasármelo tan bien, pero Annie tuvo que irse demasiado pronto. Su madre había regresado de nuevo a Wimberley el fin de semana, se alojaba en un hostal cercano.

—Volveré mañana por la tarde —dijo ella—. Probablemente no será demasiado temprano. Quedemos a las cuatro, ¿te parece? Y trae una pala si puedes.

No me tomé la molestia de preguntarle para qué la quería. Fuera lo que fuera lo que Annie tuviera en mente, seguro que sería significativo y transformador. Sería arte. ¿Y si no lo era? Me daba la impresión de que en ese caso el arte aparecería en el valle como por arte de magia tanto si lo creábamos como si no.

Le dije a la señora Empson que no hacía falta que me llevara a casa en su *kart.* Después de darme un chapuzón en la Laguna Bonita me sentía tan lleno de energía que no me importaba volver andando. Además, caí en la cuenta de que era mejor que me secara antes de que mis padres me vieran.

—Les dije a tus padres que te llevaría de vuelta sano y salvo —me recordó la señora Empson poniéndome un bocadillo en la mano—. No me hagas quedar como una mentirosa. Ve directo a casa. No te pares por el camino por nada.

—No lo haré —le prometí.

Pero me tuve que parar cuando me encontré con Doug y Jake, al menos el tiempo suficiente para que me dieran una buena paliza.

Capítulo 20

Me agarraron totalmente desprevenido. Mientras caminada parsimoniosamente para que me diera tiempo a secarme, al subir la cuesta de la colina donde está mi casa, justo antes de llegar a la cima, los vi sentados en la valla de travesaños. Me dio la impresión de que llevaban esperándome un buen rato.

—Hola, Peter —dijo Jake—. Ven. Tenemos que hablar.

—De acuerdo —respondí yendo a su encuentro, pero de pronto me paré en seco.

El aspecto de Jake era horrible. Tenía el pelo enmarañado y marcas rojas al lado de la cara. Doug parecía estar bien, pero al acercarse a mí vi que cojeaba un poco.

—¿Qué os ha pasado, chicos? —pregunté.

Parecía que acabaran de tener un accidente. A lo mejor habían intentado bajar al valle de nuevo y este se los había sacado de encima con más empeño esta vez. Al menos eso esperaba, quizá se habían topado con un puma.

—Ha sido gracias a ti —me soltó Doug—. Tú tienes la culpa, Pete.

—¡Pero qué dices! —exclamé dando un paso atrás.

—¿Por qué se lo contaste? —me espetó Dough con dureza y claridad.

—¿Contar el qué? —no entendía nada. ¿Qué creían que había hecho?

—Pensábamos que ibas a ser nuestro amigo —dijo como si le dolieran las palabras al pronunciarlas. En la comisura de la boca tenía una heridita con un poco de sangre seca.

Jake alzó la mano para que su hermano dejara de hablar.

—Déjamelo a mí, Dougie —terció plantándose ante mí y mirándome a la cara. Desde tan cerca vi que además tenía los ojos enrojecidos—. Les contaste a tus padres lo de la veintidós —añadió en voz baja—. Esta mañana han ido a nuestra casa. Le dijeron a papá que estaban preocupados porque íbamos por ahí armados con esta clase de escopeta. Y nos metiste en un problema.

—En uno muy gordo —añadió Doug.

Caí en la cuenta de que los habían sacudido a base de bien. ¡Vaya, yo que creía que mis padres eran horribles!

—Chicos, yo no les he contado nada a mis padres —afirmé.

—Mentir no te va a facilitar las cosas, Petey —me soltó Jake con crueldad en voz baja. Di un paso atrás.

—No, es verdad. No fui yo. Incluso llevo varios días sin hablarles... —dije flojeándome la voz. Laura—. Mi hermana —musité—. Ha sido ella. ¡Se va a enterar!

No me dejaron explicar lo que había ocurrido: que se lo había comentado a Laura y ella se lo había contado a mis padres, porque Doug me agarró por la parte de atrás del cuello de la camisa. Tal vez hablara con lentitud, pero era tan raudo como una serpiente atacando.

—Este es el trato, Petey —dijo Jake—. A Doug le caes bien. Piensa que quizá no sepas tratar a los amigos al venir de San Antonio y todo lo demás. Así que vamos a ofrecerte una última oportunidad. Te vamos a dar ahora una paliza.

¿Esta era mi oportunidad, una paliza? ¿A eso le llamaban ellos oportunidad?

—Pero no en la cara —me aclaró Doug antes de poder yo preguntarles a qué se referían.

¡Oh!

—¿Esa es mi oportunidad? —dije alucinado, echando un vistazo a mi alrededor, preguntándome si podría huir, si lo lograría.

Pero aunque echara a correr más rápido de lo que jamás había corrido, se encontraban demasiado cerca. Estaba rodeado por la valla y las matas llenas de espinas de los bordes del camino. No tenía escapatoria.

Jake se encogió de hombros.

—Sí, no te romperemos la cara. Esta es tu oportunidad..., pero solo por esta vez. Te daremos una buena paliza, volverás a casa y no se lo contarás a nadie.

—¿Por qué? —pregunté atónito, aunque no me refería a por qué no podía contárselo a nadie, sino a por qué me querían atizar, pero no lo pillaron.

—Porque si te chivas y alguna persona, cualquiera, se entera de lo que te hemos hecho, la próxima vez no seremos tan considerados contigo y te daremos una buena lección. O a lo mejor se la daremos a tu amiguita.

—¿A mi amiguita?

—Sí, la chica. Te vimos con ella —me soltó Doug—. Y la seguimos hasta el campamento.

Annie. ¡Oh, no!

—Sabemos que está sola en el bungaló —señaló Jake—. Si no nos obedeces, iremos a hacerle una visita. Pero seguro que te portarás bien, ¿verdad?

Y tras decir estas palabras, me largó un puñetazo en la barriga con todas sus fuerzas. Me sentí como si me hubiera roto algo por dentro. Intenté huir, pero noté la manaza de Dough retorciéndome el cuello de la camisa y él también me golpeó. Fue como si usara un bate de béisbol de lo fuerte que era. Después de darme varios porrazos más me soltó y caí hecho un ovillo en el asfalto, recibiendo durante varios segundos una lluvia de patadas y puñetazos, mientras yo intentaba protegerme la cabeza.

Sabía cómo hacerlo, cómo cubrirme la cabeza, tenía mucha práctica en ello.

Sentí casi como si ya hubiera vivido esta situación. Y si no me hubiera dolido tanto, me habría echado a reír y todo al recordarla.

Los chicos de mi clase de sexto habían decidido darme una lección cada día al salir del colegio. Darme clases particulares de cómo recibir un puñetazo en el hígado. O una patada en las tripas. Prácticamente tenía un título universitario en ello.

Recordé que mientras me golpeaban se burlaban de mí, llamándome cagueta, cobarde y cosas peores. Querían que me defendiera, era casi como si me lo estuvieran suplicando.

Papá también me lo había suplicado en cuanto sospechó lo que me estaba ocurriendo.

—¡Devuélveles los golpes, Peter! —volví ahora a oír su voz en mi cabeza al recordarlo—. ¡Demuéstrales de lo que eres capaz!, en cuanto lo hagas te dejarán en paz. Así funciona el mundo —me dijo, y le acabé haciendo caso para demostrarme a mí mismo y demostrarles a esos chicos de lo que era capaz. Y también a él.

Así que lo intenté. Una sola vez. Fue más bien un sopapo en lugar de un puñetazo. Pero fue como la chispa que enciende la gasolina. Los chicos se lo tomaron como una licencia para machacarme a golpes. Ni siquiera sabía que pudieran hacerlo con más saña aún. Recuerdo el siniestro chasquido, el terrible dolor en una de mis costillas rotas aquel último mes en mi antiguo barrio. Aquel día también se rompió otra cosa dentro de mí, algo más profundo.

Al menos Doug y Jake no me insultaron mientras me arreaban. Supongo que sabían que los sonidos se propagan por el campo. O eran simplemente más mañosos en su trabajo.

Cuando acabaron de darme el palizón, alcé la vista. Se habían ido como si nada, como si el asunto ya estuviera zanjado. Como si nada hubiera ocurrido. Me palpé la boca. Me caía un hilo de sangre, seguramente me había mordido la lengua. Pero habían mantenido su palabra. No me habían pegado en la cara.

Me quedé sentado llorando un rato. Después me levanté, con el cuerpo magullado, y volví renqueando a casa.

Mamá estaba revisando las facturas en la mesa de la cocina y me vio llegar.

—¿Cómo te ha ido el día? —preguntó—. ¡Qué mal aspecto tienes, hijo! —exclamó desconcertada al verme.

Me quedé mirándola un minuto. Por un momento se me pasó por la cabeza contárselo. Pero sabía lo que ella haría. Se pondría hecha una furia y montaría una escena. Volvería a revivir lo de San Antonio, cuando se enteró por fin de lo que había pasado.

Y entonces se lo contaría a los padres de esos chicos. Y yo lo pagaría muy caro, como la otra vez. Los golpes no hicieron más que empeorar cuando mis padres se metieron por medio.

Y ahora tenía que proteger a alguien más aparte de mí. A Annie. Y a Laura e incluso a Carlie; no estaba seguro de a quién elegirían Doug y Jake. Tenía la sensación de que creían que todas las chicas eran una presa fácil.

¿Y además qué podía hacer mamá de todos modos? Seguramente decírselo simplemente a papá como había hecho en San Antonio. Entonces él tendría que volver a enfrentarse a la realidad: su hijo era el más gallina del mundo.

—Ha sido un trabajo duro —respondí pensando en los puños de hierro de Dough—. Muy duro.

—Muy bien —dijo mamá, y volvió a concentrarse de nuevo en las facturas—. Necesitas volverte un poco más fuerte. ¡Ah!, y te he apuntado al campamento juvenil para líderes. Harás deporte por la mañana, y por la tarde te enseñarán a hablar en público y a forjar el carácter. Empiezas dentro de una semana.

Casi me parto de risa. ¿Hablar en público? Prefería que Doug y Jake me molieran a palos durante una semana antes que hacer esa chorrada.

—Voy a ducharme, a tomarme un Tylenol y a echar una siesta —repuse simplemente. Tenía la sensación de que el cuerpo me iba a doler mucho más por la mañana.

Mi madre ni siquiera me respondió. Ni tan solo volvió a alzar la vista.

Capítulo 21

A la mañana siguiente me quedé en la cama hasta tarde. Cuando me levanté a eso de las once ya todos habían desayunado. Agarré el último gofre que quedaba y fui a la sala de estar arrastrando los pies. Papá estaba afinando la guitarra de Laura con ella. Me dolía tanto el cuerpo que si tenía que oírles berrear y aporrear sus instrumentos me iba a dar un patatús.

—Hola, papá —dije asomando la cabeza por el estudio en el que practicaban.

—¡Vaya, Pete, qué mala pinta tienes! —exclamó él—. ¿Es que te has peleado con un coyote? —añadió riendo, y luego volvió a juguetear con el afinador de guitarras. Laura, sin embargo, me miró con más atención.

—¿Qué te ha pasado? —preguntó—. ¿Te caíste rodando cuesta abajo por la colina?

—¡Cómo si a ti te importara! —le solté.

No le podía contar lo que me había pasado ni tampoco que ella era la culpable, porque se volvería a chivar y entonces yo saldría perdiendo. Pero no pensaba ser amable con ella.

—¡Vale, bicho raro! —me espetó—. Estoy deseando que te largues al campamento de una vez. A lo mejor allí te enseñarán a no ser un lunático maleducado.

—¡Laura! Discúlpate —le advirtió papá.

—De acuerdo —repuso—. Siento que seas un lunático maleducado, Peter.

—Lo que tú digas —le respondí ignorándola—. Papá —dije interrumpiéndole mientras afinaba la guitarra—, la mujer del Coronel, la señora Empson, quiere que vuelva hoy para terminar de limpiar su seto de malas hierbas.

—¿Ah, sí?

—Sí —asentí, asombrado de lo fácil que ahora me resultaba mentirle a papá. Ni siquiera estaba sudando, ni una pizca.

Papá suspiró.

—Si no quieres, no tienes por qué hacerlo. Es una tarea bastante pesada para un chico de tu edad. Demasiado pesada, según tu madre. Me dijo que parecía que te hubiera pasado un tren por encima. Estaba preocupada. Y es verdad, hoy se te ve molido, hijo.

—Gracias papá —repuse intentando no apoyarme con demasiada fuerza en el marco de la puerta, porque si me mantenía erguido me dolían las costillas—. Te lo agradezco, pero estoy bien.

Necesitaba desesperadamente que me dijera que sí. Tenía que ver a Annie y advertirle sobre aquellos chicos. Ya no debía ir al valle sola, porque la estaban espiando. ¡Y quién sabe de lo que eran capaces!

—De acuerdo —respondió él—. Puedes ir después de comer. Mantén a Carlie ocupada hasta entonces, ¿vale? Nosotros tenemos que perfeccionar esta serie de canciones, ¿no te parece, Laura?

—Lo que tú digas —repuso mi hermana—. Terminemos con ello.

Papá y Laura me estuvieron horadando el cráneo con su música durante dos interminables horas y al acabar de comer yo estaba dispuesto a largarme de casa, aunque Doug y Jake me estuvieran esperando fuera.

¡Fúgate! Este pensamiento no cesaba de venirme a la cabeza una y otra vez mientras me alejaba dirigiéndome al valle. Annie y yo habíamos estado bromeando sobre ello, pero ahora parecía una opción real, al menos para mí. Era mejor que esperar a que me dieran una paliza en cualquier momento, o algo peor.

Pero ¿cómo podía lograrlo? Sabía a dónde huiría: a las profundidades del valle. Tenía la sensación de que en ese lugar al menos estaría a salvo de los peligros de la naturaleza. Pero no de Doug y Jake. Ni tampoco de mamá y papá, porque sabía que me acabarían encontrando.

A lo mejor si me fugaba, aunque finalmente me atraparan, me tomarían en serio. Quizás así se callarían el tiempo suficiente para escucharme.

¡Ja! Esto no iba a ocurrir nunca. Estaba seguro de que mis padres y Laura eran incapaces de quedarse quietos y en silencio durante medio minuto siquiera. Seguro que Carlie era capaz de entenderme mucho más que ellos.

Aunque mi madre lo había intentado una y otra vez desde que yo era pequeño, nunca me había llegado a entender. Y papá ni siquiera había querido hacerlo.

Y yo no tenía la culpa de ello. Pero sí que era culpable de que no confiaran en mí. Papá me había hecho prometer que la señora Empson le llamaría en cuanto yo llegara a su casa. Para asegurarse de que no fuera un embuste. Después de largarme tantas veces sin permiso, supongo que tuve suerte de que me dejara incluso salir de casa.

Mientras avanzaba por el camino tenía la sensación de que alguien me estaba observando. Había llevado conmigo el antiguo bate de *softball* de Laura por si acaso Doug y Jake decidían abalanzarse sobre mí otra vez. No me hacía sentir seguro, pero al menos con él no estaba indefenso.

Esa mañana me había tomado dos Tylenol, la única razón por la que me tenía en pie, supuse. Al llegar por fin a la casa roja triangular me dio la sensación de haber recorrido cien kilómetros.

La mujer del Coronel me recibió en la entrada armada con su escopeta. Aunque la dejó al ver quién era.

—Eres muy silencioso caminando, chico —afirmó como si no le gustara—. Apenas te he oído llegar. Tendré que conseguir un perro —apostilló poniéndose las gafas que le colgaban de una cadenita sobre el pecho—. ¡Qué pinta traes! ¿Te has caído rodando por una montaña?

—No, sobre un cactus —respondí apoyándome en el reposabrazos de la mecedora del porche. Dejé caer el bate a mis pies.

—¡Claro! —repuso mirándome de arriba abajo—. Un cactus con puños y muy mal carácter. O mejor dicho dos cactus —dijo. Me quedé callado un momento y ella también—. ¿Has vuelto para trabajar más? —me acabó preguntando.

—Pues no exactamente —respondí—. Aunque eso piensa mi padre. Esperaba que usted le llamara para decirle que estoy aquí.

—¿Y largarte entonces al valle? Tus padres van a acabar oliéndoselo, chico. Debes contárselo —dijo dándole vueltas al asunto—. Sospecho que tienes que contarles un montón de cosas. Tal vez eso te ayudaría.

—No me escucharán. Nunca lo hacen.

—¡Um! —repuso cavilando sobre ello mientras se arrancaba un pelo de la barbilla—. No creo que bajar al valle pueda ser malo para ti. O para ellos. Estar en contacto con la naturaleza es bueno. Bueno para el alma y para el cuerpo. Pero no voy a mentir por ti. Si quieres decirle a tu padre que estás trabajando para mí, tendrás que trabajar.

¡Oh, no! No más parras, pensé. Ella se rió.

—Pensando en voz alta de nuevo, ¿eh? Toma —dijo y, entrando ruidosamente a la cocina, agarró un pote vacío de mermelada de la repisa de la ventana—. Ve a la cuarta pradera del valle. La que está después de las huellas de dinosauros.

Me quedé boquiabierto.

—¿Son de verdad…? —empecé a decir, pero ella siguió hablando sin responderme.

—Allí abajo hay un campo que tiene que estar repleto de lirios de lluvia por la tormenta de hace un par de días. Llena el pote con ellos y tráemelo. Yo nunca voy tan lejos. La espalda me duele demasiado.

—¿Por la artritis? —pregunté.

—Por un accidente que tuve hace tiempo haciendo ala delta —dijo, y al ver la cara que puse se desternilló de risa.

No estaba seguro de si bromeaba o no.

—Voy a llamar a tu padre. ¡Ponte en marcha! Hoy va a ser un día muy caluroso.

Me puse en marcha. Annie no estaba junto al arroyo, ni en la pradera de flores silvestres, ni en la de las rocas enormes. Los dientes de león del prado cubierto de flores se habían quedado sin semillas y parecían… esqueletos.

Los *cairns* habían empezado a desmoronarse y caer, y los pétalos estaban mustios y apagados.

No me pareció una buena señal. Seguí andando, sin querer llamar a gritos a Annie por si Doug y Jake estaban por ahí de nuevo. No me fiaba de que ellos esperaran a ver si me chivaba. No parecían ser la clase de personas que saben controlar sus impulsos.

Y tampoco quería romper la promesa que le había hecho al valle. Permanecería silencioso el mayor tiempo posible.

¿Tal vez ella no había venido? Pero me dijo que haríamos algo especial.

De pronto oí algo. Parecía una paloma, más de una. Y alguien… algo más. ¿Llorando?

Caminé sigilosamente alrededor de un roble gigantesco y entonces la vi.

Annie estaba sentada en el suelo, con las piernas pegadas al pecho y los hombros agitándosele convulsamente. En cada uno había una paloma torcaza llorando, sus plumas blancas y grises se veían incluso más apagadas aún en contraste con su cabello rojo.

La contemplé durante unos momentos, hasta que ella debió de notar mi presencia. Al alzar la cabeza las palomas echaron a volar para ir a posarse en las ramas bajas del roble.

—Hola, Annie —dije—. ¿Te encuentras bien?

¡Qué pregunta más tonta! Saltaba a la vista que no era así. Pero ella no se burló de mí. Simplemente sacudió la cabeza.

—¿Qué ha pasado? —pregunté sentándome a su lado.

Para mi sorpresa se apoyó en mí, como si no pudiera ya sostener su propio peso. Se apoyó en uno de mis peores moratones y me dolió, pero no pensaba decirle nada. Parecía tan vencida como yo me había sentido. Mi historia podía esperar. El pote de mermelada produjo un ruido seco al dejarlo caer al suelo.

—Mi madre ha vuelto este fin de semana —me comunicó a los pocos segundos.

—Sí, me lo dijiste.

—He hablado con ella —me aclaró riendo hipando—. Le dije, o más bien le grité, que no quería empezar la radioterapia la próxima semana, que prefería esperar a ver si había alguna otra alternativa. Me comentó que dentro de tres meses empezarían un ensayo clínico en el Hospital de San Judas, pero que yo no podía esperar tanto.

—¿Esperar tanto?

—Eso cree ella —observó Annie con voz queda y agarrotada—, y también según los oncólogos de Houston. Pero todo el mundo sabe que en ese hospital hacen toda clase de hazañas asombrosas. De todos modos le pedí que llamara a mi médico de nuevo y que me dejara hablar con él. Y lo hizo, pero el memo ni siquiera quiso escuchar mi propuesta.

—Es que si no es seguro esperar…

—¿Seguro? —me interrumpió Annie—. Nada es seguro a estas alturas. ¿Por qué no tendría que esperar? Da lo mismo.

—¿Da lo mismo? ¿No empeorará el cáncer si esperas demasiado? —pregunté. Apenas conocía esta enfermedad, pero sabía que no podías dejarla avanzar como si nada.

—Probablemente —repuso ella, y luego lanzó un suspiro largo y profundo—. Ojalá… pudiera… seguir sin hacer nada. Como ahora.

Me noté la boca seca y de pronto sentí que cada magulladura de mi cuerpo me volvía a doler terriblemente. ¿A qué se refería? Tenía que preguntárselo, asegurarme de haberla entendido.

—¿Te refieres a dejar que el cáncer avance? —pregunté, siendo apenas capaz de pronunciar estas palabras, pero no era la primera vez que Annie decía algo que me hacía pensar que… Necesitaba saberlo—. ¿Quieres… morir?

—¡No! —exclamó ella, y, levantándose de pronto, se puso a caminar preocupada alrededor del roble, bajo su ramaje.

Las palomas echaron a volar aleteando ruidosamente. Las había asustado. Y también me había asustado a mí.

—No —repitió—. No quiero morir. ¡Ni hablar! Pero ¿es que no ves que de todos modos me va a pasar? —apostilló señalándose con el dedo el pecho—. ¿Qué es la muerte, Peter? Es cuando dejas de ser tú mismo, ¿verdad? Cuando esa chispa, o lo que sea, se apaga. Y eso es lo que a mí me espera.

—¡Qué sabrás tú! —protesté.

Pero ella me interrumpió.

—Sé lo suficiente. Sé más cosas cada vez que hablo con ella —dijo refiriéndose a su madre—. Ya no seré yo, no podré pensar como Annie Blythe, o hablar como Annie Blythe, o tal vez incluso vestirme como… —añadió, derrumbándose y rompiendo a llorar de nuevo.

—Como Annie Blythe —dije terminando la frase por ella—. Pero, Annie —añadí tras calmarse un poco—, seguirás estando viva, me refiero a que eso es lo que importa, ¿no?

Se sentó en el suelo con las piernas pegadas al pecho y se puso a balancearse.

—No lo entiendes. Creí que quizá me entenderías, pero... ¿Alguna vez una persona cercana ha tomado una decisión por ti? ¿Una decisión que creía que tú no podías tomar o que no confiaba en que tomases? ¿Una decisión en la que no se te permitió opinar en lo más mínimo? ¿Y se limitaron a decirte lo que te iba a ocurrir, esperando que lo aceptases?

Pensé en el lugar al que nos habíamos mudado y luego en el campamento de verano. No era lo mismo, pero sabía cómo te hacía sentir por dentro.

—En cierto modo, sí —respondí con un nudo en la garganta—. Es lo que me está pasando ahora.

Annie hizo una pausa.

—Cuéntamelo.

Así que lo hice. Le conté que me habían castigado y que yo me había largado de casa sin avisar, lo del campamento de verano al que mis padres me obligaban a ir, el vapuleo que Doug y Jake me dieron, y además que mamá nunca me escuchaba y que ni siquiera se dio cuenta de que me habían dado un paliza.

—¡Oh, Peter! —exclamó Annie, apresurándose a venir a mi lado para subirme la manga, y entonces vio algunas de las marcas, los pequeños cortes que el asfalto había dejado en mi piel—. ¡Lo siento mucho! Ojalá hubiera estado allí. Habría...

—No —le interrumpí—. Es mejor que no estuvieras. Esos chicos son peligrosos y están chiflados, Annie. Y además saben dónde te alojas. Cierra bien la puerta cuando estés en el bungaló.

—Lo haré —me prometió—. Pero ¿por qué tus padres no te escuchan?

—Ni siquiera les caigo bien, Annie —le confesé con los ojos húmedos por haberlo dicho en voz alta—. Mi padre ha estado intentando convertirme en el hijo que siempre deseó desde que yo hacía primero de primaria, cuando me expulsaron del equipo de fútbol americano de críos... —en la comisura de mi boca afloró una sonrisita sin poder evitarlo— por hacerme pis encima cada vez que me derribaban con un placaje.

Annie intentó reprimir unas risitas.

—¿Y qué? ¿Es que tu padre era un superatleta o algo parecido?

Lancé un suspiro.

—No. Creo que ese es el problema. Es un músico mediocre que siempre ha querido ser una estrella, alguien en la vida. Un jugador de fútbol americano, un batería, o lo que sea.

—Da la impresión de que necesita ir al psicólogo.

—¡Ja! Eso es lo que el mío me dijo —mascullé.

Annie ladeó la cabeza desconcertada.

—¿Tu psicólogo? ¿Cuándo fuiste a ver a uno?

—Pues... ¡no importa! —respondí sin querer hablar del tema—. Dejémoslo correr. Mi familia cree que soy raro.

—¡Claro que lo eres! —bromeó ella—. Pero en el buen sentido de la palabra. A todos los grandes personajes de la historia los han considerado raros, Peter. A todas las personas más brillantes: artistas, científicos... Fueron unos incomprendidos en su juventud.

—Sí, sí... —asentí recogiendo el pote de mermelada del suelo—. Pero hablemos caminando. Le prometí a la mujer del Coronel que le llevaría el pote lleno de lirios de lluvia. Aunque no sé para qué los quiere.

—No es justo —farfulló ella para sus adentros siguiéndome—. Nada lo es. Lo que nos está pasando a ti y a mí... no es justo. Ya no somos unos críos. Ya podemos tomar nuestras propias decisiones en algunos asuntos, ¿no te parece?

—Según mis padres, no. Y sinceramente, Annie, mis problemas no son los mismos que los tuyos. Tú estás… en una situación muy grave.

—Al igual que tú, Peter —repuso en un tono más sombrío—. Cada vez que tus padres te dicen que no vales lo bastante, que no estás a su altura o que no eres como quieren que seas, ¿crees que eso no te destruye un poco por dentro? Pues lo hace.

Se me enrojecieron los ojos. Tenía razón. Y ya me había pasado por la cabeza antes.

—¿Peter? —dijo agarrándome el brazo para que me detuviera—. ¿En qué estás pensando?

—En nada —mentí sin querer responderle—. Ya sabes que soy muy raro.

—Raro en el sentido de sorprendente. ¡Venga, Peter! Eres una de las personas más interesantes que he conocido en toda mi vida.

No me giré, no quería que me viera los ojos.

Lo que estaba pensando era que sabía exactamente cómo ella se sentía sobre querer ser quien era. Yo también me había sentido igual el año pasado. Cuando me estuvieron matando un poco por dentro, cada día, y nadie me escuchaba. Papá me había dicho de mil y una formas que si dejaba de ser un blandengue —la persona que yo era— mis problemas se esfumarían. Mamá me había apuntado a toda clase de actividades habidas y por haber, esperando que cambiara de algún modo. Que mejorara. Que fuera distinto.

Annie era la primera persona que me decía que le gustaba… tal como era.

—Creo que eres increíble. Cualquiera que no lo vea… es que no presta atención.

Cuando ella dijo las palabras *presta atención*, una mariposa azul enorme pasó volando por delante de mi cara y se posó en mi hombro.

—¿Lo ves? —dijo Annie—. Hasta el valle está de acuerdo conmigo.

—Tú y el valle sois los únicos que lo pensáis —afirmé cayendo en la cuenta de que ahora ya no me parecía una locura que el valle estuviera vivo. Al menos cuando estaba con Annie.

—¿No desearías que hubiera alguna forma de que tus padres te escucharan? —preguntó Annie—. ¿Qué pudieras hacer algo para llamar su atención?

Era exactamente lo que había estado pensando durante dos días. Tal vez incluso durante dos años. Pero nada había funcionado, a decir verdad cuando descubrieron lo mal que me sentía reaccionaron de una manera que todavía me hizo sentir peor. Asentí con la cabeza de todos modos.

—Ya sé lo que podemos hacer, Peter —me propuso Annie, plantándose en un santiamén a mi lado y agarrándome las manos—. Tú y yo —dijo mirándome a la cara—. Para llamar la atención de tu madre y de la mía. Para que nos escuchen. ¿Lo harás conmigo? Yo no puedo hacerlo sola.

—¿Qué es lo que quieres hacer? —pregunté notándome la boca seca de nuevo, el corazón me latía cada vez más deprisa.

—Tripas de pescado —me susurró esbozando una sonrisita, pero con una mirada de lo más seria por encima de la boca—. Estoy lista.

—¿Tripas de pescado? —pregunté devanándome los sesos. Y de pronto lo recordé—. ¡No me digas! ¿Te refieres a…?

—Esta vez va en serio —musitó—. Fuguémonos.

Capítulo 22

¿Fugarme... de verdad? ¿Con Annie? Quería gritar «¡sí!», pero no podía mover la lengua. Ella esperó.

—Pues... no sé —repuse cuando logré hablar de nuevo.

Sabía que habíamos estado charlando de fugarnos, haciendo listas de lo que nos llevaríamos, pero creí que no iba en serio. Cuando el día anterior había estado pensando en fugarme de verdad, no me imaginé hacerlo con Annie. Estaba demasiado enferma. Pero nunca se lo diría, me parecía una deslealtad por mi parte.

—¿Adónde iremos?

—Al interior del valle —respondió con ojos risueños—. Lo más lejos posible de nuestras casas.

—Pero... ¿el valle? —titubeé.

Cerré los ojos por un segundo, imaginándome en él, largándome de casa... y sabiendo que no funcionaría. Al menos por demasiado tiempo.

—Es grande, no cabe duda. Pero no lo bastante. Nos encontrarán. Annie, sabes que nos encontrarán, y todo habrá sido en balde. Solo nos meteremos en un problema muy gordo.

—Lo sé —repuso pronunciando cada palabra con lentitud y conciencia—. Solo nos fugaremos el tiempo justo. Dos o tres días, o tal vez más. El suficiente tiempo para que tus padres recapaciten en cuanto lo descubran —prosiguió echando de nuevo a caminar, delante de mí, sin que apenas pudiera yo oír las siguientes palabras—, el tiempo justo para perderme el inicio del tratamiento. Tal vez el tiempo suficiente para que el ensayo clínico del Hospital de San Judas se convierta en una alternativa para mí —añadió en un hilo de voz.

¿El San Judas? ¿No había dicho Annie que el ensayo clínico empezaría dentro de tres meses? Tres largos meses. Su médico había insistido en que no podía esperar tanto. ¿Era muy grave el cáncer de Annie? Quería acribillarla a preguntas, obligarla a volverse y a decirme sin rodeos cuántas probabilidades tenía de sobrevivir si esperaba: ¿el cincuenta por ciento?, ¿el diez por ciento? Pero no lo hice.

Annie necesitaba a alguien que la escuchara. Y nada más. Y yo podía hacerlo.

Conque la seguí en silencio, preguntándome en qué estaría pensando su madre. No era normal que Annie se sintiera tan sola, que *estuviera* tan aislada en un paraje tan remoto, con la única compañía de un chico raro como yo. Al menos ahora que su estado era tan crítico. Tendría que haber estado hablando con su madre, compartiendo con ella su miedo y su sufrimiento. En vez de ocultarlos.

En vez de fugarse.

Fugarse. Me estremecí solo de pensar en la palabra, en escaparme, en ser libre. En ser yo. Recordé todas las cosas que mis padres me habían estado diciendo en los últimos meses o incluso años. Sobre que tenía que esforzarme más, ser mejor, otra persona. Tal vez necesitaban un aldabonazo que les hiciera abrir los ojos.

Y la madre de Annie a lo mejor también necesitaba otro.

A fin de cuentas no se trataba de una fuga en toda regla. No íbamos a largarnos en tren ni haciendo dedo a las Cachimbambas. A fin de cuentas estaríamos como quien dice en nuestro jardín trasero.

En nuestro propio jardín trasero, tan enorme, selvático y mágico.

La idea me entusiasmó tanto que se me puso carne de gallina. Si en el borde del valle nos habían pasado toda clase de cosas mágicas, seguro que al adentrarnos en él nos pasarían muchas otras más que ni siquiera nos podíamos imaginar.

¿Qué secretos descubriríamos cuando, alejándonos de casa, nos internásemos en esos serenos parajes?

—¡Peter! —exclamó Annie, y luego lanzó un grito ahogado de asombro. Había encontrado la pradera de lirios de lluvia.

Era alucinante. Una extensión de cuarenta metros cubierta nada más que por lirios blancos de un palmo de altura con flores de cinco centímetros de diámetro. Relucían y se mecían al vaivén de la brisa, revelando unos toques morados y verdes al bambolearse. El cielo se llenó de pronto de mariposas blancas diminutas a modo de pétalos que se hubieran desprendido aposta, flotando por encima de la tierra.

—No quiero cortar estas flores —dije, siguiendo un par de mariposas con la mirada mientras danzaban en lo alto—. Es demasiado hermoso.

—Ya lo haré yo —se ofreció Annie, y tomó el pote de mermelada de mi mano. Luego, sacó un cuchillo pequeño del bolsillo de sus pantalones cortos. Un cuchillo extremadamente afilado.

—¿Vas armada?

—Creí que nos dedicaríamos a cortar parras —me aclaró mientras recogía flores aquí y allá para no dejar un claro en la pradera. Parecía como si se doblaran apartándose de su camino y se enderezaran de nuevo al dejarlas ella atrás.

—¿No detestas cortarlas? —pregunté—. Las flores son tan bonitas que nunca he entendido por qué todo el mundo quiere meterlas en jarrones. En cuanto las cortas, se marchitan al cabo de uno o dos días.

Annie se encogió de hombros.

—Las cortes o no, también se morirán.

—¿Por qué?

Ella puso los ojos en blanco.

—Porque son *lirios de lluvia*, Peter. Flores de un solo día. Al siguiente ya están marchitas. Al menos así la mujer del Coronel gozará de ellas. Se merece que haya algo bonito en su vida —dijo apagándosele la voz

—¿A qué te refieres? —pregunté caminando por el borde del prado. Aunque a Annie tanto le diera pisar las flores, yo no quería arriesgarme a destruir lo que para mí era el lugar más precioso que jamás había visto.

—No lo sé. Parece sentirse muy triste. ¿A ti no te ha dado esta impresión?

¿Triste? A mí me parecía chiflada. Gruñona. E incluso un tanto lunática, porque le había hecho limpiar de maleza a un crío un seto de parras de doscientos cincuenta metros de largo a cambio de un bocadillo. Y también amable por haberme encubierto hoy. Pero no me había dado cuenta de que pudiera sentirse triste.

Pero ahora que me lo decía, había algo en sus ojos, una tirantez en la comisura de sus labios. Me pregunté a qué se debería. Y cómo era posible que Annie lo hubiera visto cuando a mí me había pasado por alto.

No había prestado atención. Por alguna razón este pensamiento me impactó. ¿Me estaba volviendo como mi familia? ¿Estaba tan embebido en mis problemas que pasaba olímpicamente de los demás? Tal vez..., tal vez necesitaba sosegarme, ser más cuidadoso con mis decisiones.

No podía quitarme de la cabeza la decisión de Annie. Era inimaginable... Ni siquiera me la podía plantear. ¿Cómo podía jugar con su vida de ese modo? ¿Dar largas a la operación y las medicinas simplemente porque así lo quería? ¡Era toda una luchadora!

En cambio yo nunca tendría esta clase de valor.

—¿Qué te parece? —preguntó Annie después de llenar el pote de cristal.

—¡Una preciosidad!

—Gracias —repuso ella bajando la cabeza.

—Me refería a las flores, no a ti —balbuceé—. Aunque por supuesto tú también lo eres. No me malinterpretes...

Annie se rió, interrumpiéndome.

—¡No sigas, Peter, que aún lo empeorarás más! Lo que quería decir es si lo harás. Si te fugarás conmigo.

—No creo —admití siendo sincero—. Porque si te fugas, si nos fugamos, y pasa algo malo o te haces daño en el valle, no tendremos ningún médico u hospital cerca.

—Pues por eso he elegido este lugar —repuso Annie con una voz de lo más sombría—. No pienso volver al hospital, al menos mientras no me hagan caso. Aunque tenga que fugarme un millar de veces. No pienso recibir el tratamiento y sanseacabó.

¿No pensaba recibir el tratamiento? Pero sin él se moriría. ¿No?

No me lo podía ni imaginar. Annie era la persona más vital y llena de energía que había conocido... y que conocería.

—Lo que dices no tiene ni pies ni cabeza, Annie —afirmé. Se lo tenía que decir, alguien debía hacerlo—. Estás hablando de poner en peligro tu vida.

—Exactamente —respondió ella arrancándole los pétalos a un lirio de lluvia con las uñas mordisqueadas de una mano—. *Mi vida.*

—Pero... —no pude evitar decir— igual te mueres si no recibes el tratamiento. No puedes echar a perder tu vida.

—Peter, es evidente que mi vida ya se está echando a perder. Solo estoy intentando hacer lo que deseo con lo que me queda de mi maltrecho cuerpo.

—Annie, nunca te he tenido por alguien que se rindiera.

—¡No seas memo, ya tengo bastantes memos en mi vida, gracias! —exclamó arrojando los pétalos, y mientras yo los contemplaba caer parecieron marchitarse y ajarse por el camino.

Estaba enojado y mucho más que eso. Pero ¿por qué? ¿Por mí? ¿Por su madre? Aunque sin duda lo estaba por Annie. Por más que yo hubiera querido fugarme de casa, su decisión de hacerlo significaba que se había rendido. Que prefería morir antes que intentar vencer al cáncer de nuevo.

Y este pensamiento me hizo sentir peor que cuando estaba recibiendo la paliza, peor que cuando estuve cortando parras todo el día, e incluso peor aún que cuando mi madre insistió en que fuera al campamento de verano.

—¡Estás hablando de morir! —dije en un tono demasiado estridente y airado, y entonces la brisa me trajo un extraño olor a podrido—. Lo siento, le susurré al valle.

—No. Estoy hablando de luchar. De fugarnos. De obligarles a que nos escuchen de una vez. Y de todos modos, como tú has dicho, probablemente ellos nos acabarán encontrando al cabo de poco.

—¿Ellos?

—Bueno, mi madre y tus padres. Si es que te fugas conmigo, claro —me dijo cara a cara de nuevo—. Venga, Peter. Me lo prometiste, ¿te acuerdas? Hablo en serio.

¿En serio? Ni siquiera quería imaginarme lo seriamente enojada que mi madre se pondría si yo lo hacía.

—Tu madre se sentirá aterrada —dije en voz baja—. Probablemente ya lo esté. ¿Cómo puedes... hacerle esto?

—¡Sí! Quizá. Quizá... Pero hará que me preste atención —observó suspirando—. No lo entiendes. Seguramente nunca te planteaste lo que me estoy planteando. Nunca tuviste un problema tan gordo que te pareciera imposible poder resolverlo alguna vez. Como si te persiguiera un monstruo y lo único que pudieras hacer fuera correr como un loco.

Sí, lo he tenido, quise decirle. Pero las palabras no me salieron de la boca. No quise contarle lo mal que lo había pasado. Lo que había estado pensando hacer, por más veces que se lo hubiera negado a mi madre.

No quería añadir más leña al fuego.

—Ya lo tengo todo preparado —me anunció con una voz más serena y clara que nunca—. He metido en la mochila todas las provisiones de las que hablamos. La cantimplora, la comida, las mudas de ropa, hasta he robado un cuchillo de la cocina del campamento.

—Robaste un cuchillo —repetí—. Ya lo has preparado todo, ¿verdad? —dije desconcertado. Ella había estado cavilando en la fuga, planeándola—. ¡Estás loca!

—¿Loca? —dijo con los labios apretados—. ¿Qué te pasa, Peter? ¿Te estás echando atrás? —me soltó, y luego hizo una pausa. Al ver que no le respondía, siguió acribillándome con sus palabras como una granizada—. Me dijiste que eras un cobarde —me espetó, muy enfadada—. No te creí, pero supongo que debía haberlo hecho. En ese caso vuelve a casa, cobarde. De todos modos no te necesito.

—¡Annie! —exclamé con la cara encendida—. ¡Deja de hablar así!

—¿Por qué habría de hacerlo si es verdad? Eres un cobarde o un mentiroso, una de dos —farfulló a causa de las lágrimas—. O ambas cosas. Me mentiste.

Ella tenía razón. Pero tenía que explicarme.

—Yo... nunca creí... No iba en serio, ¿verdad? Fue como cuando pides un deseo, sabes que es una tontería porque nunca se cumplirá, por eso pides algo imposible.

El ambiente estaba cargado de tensión.

—Annie, te quedas hasta el viernes, ¿no? Habla de nuevo

con tu madre. O... o llama al médico una vez más. Ven a mi casa, nuestro teléfono funciona. Podemos buscar en la red nuevos tratamientos.

—Tengo que hacer algo, Peter —dijo ella tras quedarse callada varios minutos, ofreciéndome las flores que sostenía—. No tienes por qué fugarte conmigo. Lo haré sola.

Sola. Cuando dijo la palabra, apareció por el horizonte un nubarrón, denso y plomizo.

—No —respondí al pensar en ella fugándose sola. Doug y Jake podían encontrarla. O podía caerse, o...—. ¡Annie, no lo hagas!

—Lo intentaré. No tengo miedo. Adiós, Peter Stone —dijo girándose para irse—. Que tengas una buena vida.

Se iba. Para siempre.

La contemplé mientras se alejaba, preguntándome si haría algo tan estúpido. Si yo se lo permitiría. Preguntándome cómo podía detenerla.

¿Annie fugándose, lastimándose o incluso muriendo... sola?

Tenía que ocurrírseme algo.

Tenía que hablar con alguien que me escuchara.

Capítulo 23

Pero como era de esperar mi mayor problema era justamente ese. Nadie me escuchaba.

Aquella noche encontré a mamá en la cocina, estábamos solo los dos, sin contar con su portátil, que no cesaba de pitar por los mensajes de Facebook que llegaban mientras ella tecleaba.

—¿Mamá? —dije en un tono más alto de lo habitual. Necesitaba que me oyera—. ¿Mamá? ¿Puedo preguntarte algo importante?

—Ummm… ¿qué? —repuso alzando la vista, y de pronto lo captó—. ¡Ah, sí, claro! Ya sabes que siempre puedes contar conmigo para lo que sea. Ya hablamos de ello el año pasado. ¿Qué te pasa?

Intentó poner una expresión de interés, pero sus ojos traslucían un asomo de pánico. Probablemente le preocupaba lo que le iba a decir. Que volviera a estar deprimido.

¡Qué poco se esperaba lo que iba a preguntarle!

—Verás, conozco a una chica… —empecé a decir. No quería que a mamá le diera un ataque cuando se enterara de que había estado saliendo toda la semana con ella. Pero ya era demasiado tarde.

—¿Una chica? —preguntó poniendo una cara como si le hubiera dado un regalo de cumpleaños antes de tiempo—. ¿Es mona? ¿Dónde la has conocido…? ¡Oh, no!, espero que no sea alguien de un chat de internet o algo parecido. Ya sabes que son todos unos cuarentones retorcidos intentando pescar...

—¡Mamá! —exclamé al tiempo que movía negativamente la cabeza, arrepentido de haber intentado contárselo—. Es una chica de verdad. La conozco en persona.

—¿Dónde? —preguntó mamá brillándole los ojos—. ¿Cuándo? Quiero conocerla. ¿Irá a tu colegio el año que viene?

—¡Mamá! Ni siquiera es de aquí. Solo se quedará hasta el viernes.

El viernes era el día que la madre de Annie se la iba a llevar para que empezara el tratamiento.

Eso si la encontraba.

—Solo quería... bueno, no importa.

—No, Peter, te escucho. ¿Qué querías decirme sobre esa chica? —preguntó mordiéndose el borde del labio, como si intentara contenerse para no acribillarme a preguntas.

—No importa. Ya te hablaré de ella más tarde —dije, intentando buscar otra forma de enterarme de lo que quería saber—. Mamá, en el colegio donde iba antes había un chico que era amigo mío —le mentí—. Tenía cáncer.

—¿Quién? Espera, quiero que me cuentes más cosas de la chica de la que me has hablado...

—Mamá, ahora no. Tengo que preguntarte algo sobre mi amigo. El que tenía cáncer.

Mamá sacudió ligeramente la cabeza.

—El año pasado no te oí hablar nunca de un chico con cáncer. ¿Era de tu clase?

—Eso no importa. ¿Por casualidad has oído hablar de los efectos de los tratamientos para el cáncer?

—¿Los efectos secundarios?

—Más o menos. Sí. ¿Sabes si las lesiones cerebrales pueden ser uno de ellos? ¿Como lesiones cerebrales irreversibles?

—Sí —reconoció mi madre con un hilo de voz, nunca la había oído hablar en ese tono—. Tenía una amiga cuyo hijo pequeño tenía leucemia. Se la descubrieron a los cuatro años. Sufrió una lesión cerebral por la radio y la quimio. Pero lo llevan a hacer terapia, ya sabes, para ayudarle a recuperarse.

—¿Se recuperan esos pacientes? —pregunté—. Pongamos que alguien se somete a un montón de radio. Y de quimio. Más de lo habitual. Si fuera para tratar un cáncer grave, ¿los efectos secundarios serían tan malos que ella nunca se recuperaría?

—¿Ella? —preguntó mamá—. ¿O sea que se trata de la chica de la que me has hablado?

—Sí —admití poniéndome rojo como un tomate—. Pero no es la clase de chica que te imaginas. Lo que quería saber es...

Mamá frunció el ceño, dudando un momento antes de responderme mientras reflexionaba en ello.

—La verdad, hijo, es que no hay forma de saberlo. No todo el mundo reacciona ni se recupera de un cáncer de la misma manera. Depende de muchos factores.

Me quedé alucinado. Mi madre me estaba escuchando. Era la primera vez que me prestaba atención, al menos desde que yo tenía uso de razón.

—Si yo tuviera cáncer —sugerí—, o si Carlie, Laura o yo estuviéramos muy enfermos, y...

—¡Dios no lo quiera! —exclamó mamá levantándose de golpe—. ¡Qué cosas de decir! —añadió, poniéndose a caminar por la cocina, como si buscara algo para hacer—. Es lo peor que le podría pasar nunca a una madre. Se me pone carne de gallina solo de pensarlo.

—Pero si estuviéramos muy enfermos y tuviésemos que hacer algo drástico que nos provocara un daño irreversible y nosotros no quisiéramos quedarnos como un vegetal, ¿nos dejarías elegir? ¿Nos ayudarías a elegir el tratamiento?

Mamá se paró en seco y se dio la vuelta.

—¿Estás de guasa? ¡Ni hablar! Esta clase de decisiones las ha de tomar un adulto. Tú no puedes entenderlo porque eres todavía un crío. Lo probaría todo, absolutamente todo, con tal de que mis hijos siguieran sanos y salvos. Peter —añadió brillándole los ojos—, lo haría todo por ti. Lo sabes, ¿verdad?

—¿Aunque yo no quisiera?

Mamá se quedó boqueando estupefacta una, dos veces, como un pez. Se apoyó en la silla, como si estuviera a punto de perder el equilibrio.

—¡Oh, Dios mío! No me hagas esto, Peter. Creía que ya no volvería a pasarte esa cosa tan horrible por la cabeza. ¿Es que has estado…?

—No, mamá —protesté sabiendo a lo que se refería—. No he estado pensando en… eso. Ni nunca lo hice. No fue más que un diario estúpido.

—Lo sé. Ya me lo dijiste. Pero las cosas que escribiste en aquella época y lo que me acabas de decir ahora dan la impresión de que quisieras…

De pronto sonó el móvil que mi madre había dejado sobre la mesa, junto al portátil. Estuvo a punto de no contestar sin mirar siquiera quién era. Casi.

—¡Oh, mierda, mi jefe! —exclamó consultando la pantalla—. Seguiremos esta conversación más tarde, Peter. Tal vez necesites ir al psicólogo de nuevo. Creí que al estar aquí con chicos nuevos mejorarías. Buscamos un lugar en medio de la naturaleza para que… te distrajeras. Pero es demasiado aislado. Veo cómo te sientes. Espero que el campamento… te ayude.

Y tras decir estas palabras, se puso al teléfono antes de que saltara el contestador y se fue escopetada al trabajo.

—¿Y si uno de tus hijos se fugara? —le pregunté a la cocina vacía—. ¿Sería eso peor que si enfermara? Si nos sintiéramos mal por dentro, en lugar de tener un cáncer o cualquier otra enfermedad, ¿nos escucharías? ¿Te preocuparías por nosotros?

Esperé, preguntándome si volvería al haberme oído.

No lo hizo.

Capítulo 24

Llegó el miércoles, y con él el hacer de canguro.

—Mamá —había gritado Laura esa mañana—, necesito que me lleves a la ciudad. Algunas de mis amigas han quedado en el Centro Comercial River Center.

Mi madre se quejó un poco, pero vi que se sentía mal por Laura, porque tenía quince años y estaba sola en medio del campo.

En cambio yo, lo mismo le daba.

—Peter, papá tiene que ir a una prueba a la una. Necesito que te ocupes de Carlie desde las once de la mañana más o menos hasta que yo vuelva a casa.

Por más excusas que le puse —que no era lo bastante mayor, que no me sentía seguro quedándome en casa sin un adulto—, fue inútil.

Iba a dejar a Annie sola otra vez. Me dolió en el alma pensar que ella tuviera que tomar unas decisiones de vida o muerte —en el sentido literal de la palabra— sin nadie con quien hablar. Sin nadie que la convenciera para que cambiara de opinión.

O al menos que caminara a su lado.

Carlie me distrajo durante un tiempo llenando la casa con sus balbuceos y risas. La llevé a mi habitación y la dejé jugar con mis antiguos bloques Duplo un rato y luego le di un saludable almuerzo a base de ganchitos de maíz con sabor a queso, compota de manzana y más ganchitos.

Cuando la iba a acostar para que hiciera la siesta, oí a alguien toqueteando el pomo de la puerta. No estaba llamando, sino toqueteándolo. Como si intentara entrar.

Annie. Tenía que ser ella, era la única que se tomaría la molestia de venir a verme, porque vivíamos en el fin del mundo. Por un minuto me entusiasmé. Ni siquiera se me había ocurrido invitarla a casa. Posiblemente, pensé, echando un vistazo al desorden que reinaba y viendo lo mal pintadas que estaban las paredes por primera vez, tendría que haberle hecho prometer que no saldría nunca del campamento.

Pero era demasiado tarde. Abrí la puerta, sentando a Carlie de horcajadas en mi cadera.

—Hola, Annie...

No era Annie. Eran Doug y Jake. Intenté cerrar la puerta de golpe, pero Doug la bloqueó con el hombro con tanta fuerza que era como si la puerta se hubiera topado con un árbol.

—¿Qué queréis, chicos? Estoy ocupado —pregunté con el corazón latiéndome a trompicones en el pecho. La visita no podía presagiar nada bueno.

—¿Estás ocupado haciendo de canguro? —preguntó Jake mascando lenta y detenidamente una cañita de sorgo que le colgaba de la comisura de los labios—. ¿No hay nadie más en casa?

—Sí, mi padre —mentí.

—No está —dijo Doug sonriendo socarronamente—, lo hemos visto pasar. Aunque hay que reconocer que eres bueno mintiendo. No te lo he notado en la cara. En cambio, a mí se me ve a la legua. Creíamos que tú también te habías ido.

Jake apartó de en medio a Doug empujándolo con algo: ¿un destornillador?, ¿un martillo? No me dio tiempo a averiguarlo porque se lo escondió enseguida detrás.

—No, no lo hemos visto, Doug. ¿Es que no te acuerdas? Solo queríamos hacerte una visita. Pasar un rato contigo. Amigo.

Doug parecía confundido.

—¡Oh, sí! —exclamó—. Es verdad. Hemos venido a pasar un rato contigo.

Vi a qué se refería al decir que se le notaba en la cara cuando mentía. No habían venido a pasar un rato conmigo por un detalle, en lugar de llamar a la puerta habían intentado forzar la cerradura.

Y por otro más, Doug llevaba en la mano una gran bolsa. ¿Habían venido a robar?

—¿Puedo sostener en brazos al bebé? —preguntó Doug.

Me quedé alucinado.

—Mmm... no. Le dan miedo los desconocidos —dije. Carlie estaba mirando a los dos chicos con ojos desmesuradamente abiertos y serios, pero no se veía asustada. Le encantaba conocer a gente nueva. Probablemente se pondría a sonreír y balbucear en cualquier momento.

Yo, en cambio, sí estaba asustado. No me fiaba de esos dos, y temía que pudieran hacerle algo a Carlie.

—No le haré daño, Pete —me aseguró Doug, pronunciando cada palabra con voz queda y sincera—. Nunca le he hecho daño a un bebé. Me gustan. Son blandos.

No supe qué responderle... ¿blandos? ¿Como si los apretaras? Y entonces no me hizo falta decir nada, Carlie eligió el momento perfecto para ensuciar el pañal, que despedía un olor pestilente.

No podía haber sido más oportuna.

—¡Puaj! —gritó Doug agitando la mano delante de su cara—. ¡Residuos tóxicos de bebé! ¿Vas a cambiarle eso?

—Sí —repuse fingiendo ser para mí un engorro. Pero no era así. Prefería cambiar un millar de pañales antes que pasar el tiempo con Doug y Jake—. Es mejor que os vayáis pronto o explotará.

—¿Explotará? —gritó Doug de nuevo haciendo aspavientos, los dos bajaron los escalones de la entrada y cruzaron el jardín como balas.

—Un bebé minita antipersonas. Me gusta.

—Te volveremos a ver pronto, Petey —dijo Jake volviendo la cabeza—. No te aconsejo que le comentes a nadie esta pequeña visita. ¿Lo has entendido? Estamos en cierto modo... castigados. No querrás repetir lo del otro día, ¿verdad?

Lo del otro día. Se refería a la paliza que me dieron.

Un destornillador era lo que se había metido en el bolsillo de atrás, lo vi cuando salió pitando. Y aunque sintiera un calorcillo en el brazo y Carlie se estuviera revolviendo, esperé a que desaparecieran. Entonces revisé la puerta.

Como era de esperar, el ojo de la cerradura estaba rodeado de marcas y arañazos, e incluso se había agrandado un poco, como si lo hubieran intentado forzar un rato. El pestillo no funcionaba, por más que lo intenté. ¿Por qué papá no habría comprado una cerradura de seguridad como la que teníamos en San Antonio? «Aquí estamos seguros —recordé que nos dijo—, nadie vendrá por estos andurriales a robar. Da demasiado trabajo.»

Supongo que no les dio demasiado trabajo a Jake y Doug. Acabé bloqueando la puerta con dos sillas por si decidían volver, revisé de nuevo las otras puertas y ventanas de la casa y por fin le cambié el pañal a Carlie.

Era tóxico, pero no tanto como mi humor. ¿Cómo se suponía que iba a contarles a mamá y papá lo de la cerradura sin decirles quién lo había hecho?

No estaba dispuesto a recibir otra paliza. Y era demasiado cobarde como para irme de la lengua y arriesgarme a que me la dieran.

Me moría más que nunca de ganas de fugarme.

Descubrí la forma de contarles a mis padres lo que había ocurrido, más o menos, aunque probablemente no me volverían a dejar nunca más solo en casa hasta cumplir los veinticinco años.

—Oí a alguien pegado a la puerta —le conté a papá cuando volvió a casa. Naturalmente había advertido la cerradura estropeada y las sillas—. Es muy raro. Fuera quien fuera, se fue disparado al preguntar gritando quién era. Pero la cerradura ya estaba forzada.

—Forzada —repitió papá pasándose las manos por el poco pelo que le quedaba—. Forzada. ¡Dios mío!, no quiero ni pensar lo que podría haber pasado si el ladrón hubiera tenido un arma. ¿Y no pudiste verle?

—No —respondí—. Me dio demasiado miedo salir.

—¡Bien! —exclamó papá. Estaba pálido, tan impresionado como yo cuando había abierto la puerta—. Lo has hecho muy bien, hijo —añadió. Incluso me dio un abrazo y todo, rodeándome con sus brazos con tanta fuerza que me quedé sin aliento durante dos segundos—. ¡Pero que muy bien!

Era la primera vez en mi vida que no me criticaba por decir que estaba asustado. No sabía cómo tomármelo.

Se pasó la siguiente hora pegado al teléfono hablando con mamá, que estaba en un tris de darle un ataque, intentando calmarla. Cuando fracasó estrepitosamente, se puso a aporrear los tambores como un loco hasta que mi madre volvió a casa, como si se fuera a cargar las baquetas.

—¡Oh, cariño! —exclamó mamá en cuanto llegó. Casi me ahoga al estrecharme entre sus brazos—. ¿Dónde está Carlie?

Estaba haciendo una siesta, pero mamá la despertó para abrazarla a ella también.

Y entonces empezó la trifulca.

A los dos minutos de oírlos gritar, Laura dijo poniendo los ojos en blanco: «¡Dejo esta estúpida familia!», y se encerró en la habitación. Yo sabía cómo se sentía. Deseé con toda mi alma poder dejarla yo también.

Fúgate, me susurró una vocecita dentro de mí. *Fúgate con Annie.* La voz de mamá sofocó cualquier pensamiento de fuga.

—Alguien tendrá que quedarse en casa con los niños hasta que tengamos bastante dinero para la guardería o hasta que empiecen los estudios. Y yo no puedo hacerlo porque soy la única de nosotros que tiene un TRABAJO.

Mamá jugaba sucio cuando se lo proponía.

—¿Ya vuelves a salirme con esa? ¿Con que soy un perdedor? ¿Por qué no te divorciaste de mí cuando me despidieron? ¿Por qué prolongar la situación?

—Aún no es demasiado tarde, Joshua. No me des ideas. Y no cambies de tema. Decidamos lo que decidamos, ¡los niños no se pueden quedar en casa solos tanto tiempo! Le está afectando a Peter, ¿es que no lo ves? Creí que le ayudaría empezar una nueva vida. Pero se está encerrando cada vez más en sí mismo. Incluso Laura se siente muy sola en este lugar. Te has estado ausentando demasiado.

—Ha sido por las entrevistas de trabajo —le soltó papá.

—Los trabajos son para ganar dinero —dijo mamá—, en cambio tus entrevistas son para tocar en bandas, para dar conciertos gratuitos, ¿no?

—Es algo temporal. Voy a conseguir un trabajo, así que déjame en paz —le espetó con una voz más dura y agriada.

—¿Cuándo? ¿Antes o después de que a los chicos los asesinen en este lugar en medio de la nada mientras tú estás perdiendo el tiempo con tus tambores en Austin como un quinceañero?

—¿Perdiendo el tiempo? ¡Venga, Maxine, suelta de una vez lo que en realidad piensas! Sabes que cuando me conociste era batería, ¿por qué ahora no te parece un trabajo decente? ¿Por qué de pronto tienes este problema con quién soy? ¿No solo con mi profesión, sino con quién soy?

Me quedé helado al escucharlos. Papá parecía que sintiera lo mismo que yo. Como si no fuera lo bastante bueno. ¿Cómo era posible que él también se sintiera así? La réplica de mamá me evitó pensar en la respuesta.

—¿Con quién soy? —repitió ella con voz chillona burlándose—. Porque hemos crecido, Joshua. Ahora somos adultos, o al menos yo lo soy. Tenemos un alquiler, facturas —gritó—. Y por supuesto, hijos, hijos asustados que necesitan que alguien se quede con ellos...

—¿Ahora quieres que me quede en casa rascándome la barriga, en lugar de buscar trabajo? Tengo que salir para conseguir uno. Peter tendrá simplemente que aprender a ser un hombre...

—¿A ser un hombre? ¿Con ladrones armados? ¿Has oído el disparate que acabas de decir? ¡Este lugar no es seguro! ¡Lo que ha pasado hoy podría volver a ocurrir mañana!

—¡Pero qué dices! ¿Es que crees que hay una banda de ladrones peligrosos yendo de casa en casa por el campo, robando televisores de diez años de antigüedad y electrodomésticos estropeados? —le soltó papá, y lanzó una carcajada que sonó como un horrible rugido.

—¡Y por qué no!

La pelea continuó hasta que los dos se quedaron sin fuerzas. Papá acabó disculpándose y se le ocurrieron varias cosas para impedir que mamá llamara a los abogados para tramitar el divorcio, pero tuvo que ir a la ciudad a comprar el material que necesitaba y quedarse hasta altas horas de la noche con sus herramientas para convencerla de que no lo hiciera.

Al día siguiente me dejó en casa, protegido por cerraduras de seguridad recién instaladas en la puerta de la entrada y en la trasera, y por barrotes en las ventanas de la planta baja, y además fue por los alrededores preguntando a los vecinos si habían entrado ladrones en sus casas.

Laura se ocupaba de Carlie y mamá había vuelto al trabajo.

Tenía que largarme. Ver si Annie estaba en el valle. Me pasé la mayor parte de la noche —bueno, a partir de las dos de la madrugada, en cuanto Laura dejó libre el ordenador— investigando los efectos secundarios de los tratamientos para la leucemia.

Annie tenía que estar equivocada. Por lo que había leído, la clase de efectos de los que me había hablado casi nunca sucedían. Tenía que encontrar la manera de abrirle los ojos, de cambiarla... Mis pensamientos se pararon de golpe.

Abrirle los ojos. Cambiarla. Era justo la clase de cosas que mamá y papá susurraban sobre mí cuando creían que no les oía. O que gritaban a voz en cuello al darles lo mismo que estuviera ahí o no.

Querían cambiar mi forma de pensar, hacerme ver las cosas a su manera. Reemplazar quien era yo por quien querían ellos que fuera.

Nunca querían escucharme.

Quizá no pudiera hacerles frente, pero no tenía por qué ser ellos.

No le iba a hacer lo mismo a Annie. La escucharía, y no solo eso, sino mucho más. Y si no quería cambiar su forma de pensar, si había decidido fugarse, la ayudaría a llevar a cabo su plan.

Capítulo 25

Annie no estaba en el valle. La busqué en todos los lugares donde habíamos estado. Había hecho algo con las parras en una de las praderas, pero estaba inacabado, como si lo hubiera dejado a medias.

Subí por la ladera de la colina que llevaba a la casa de la mujer del Coronel. La anciana estaba en la cocina, con la puerta abierta de par en par. La oí tararear junto al fregadero, de espaldas a mí. La mesa estaba cubierta con…

—¿Más uva verde? —dije en voz alta, y ella se giró en redondo empuñando un cuchillo enorme de carnicero.

Por un segundo creí que me lo iba a lanzar. Pero al verme lo bajó suspirando aliviada.

—¡Chico! —exclamó soltando una carcajada, como si no estuviera segura de si ponerse a gritar—. Casi me matas del susto.

—Lo siento. La puerta estaba abierta —me disculpé.

En la cocina había un enjambre de moscas y una se posó en la punta de su nariz. La espantó soplando, haciendo ondear unos mechones de su pelo canoso. Se dejó caer en una silla.

—No es culpa tuya —dijo señalándome con el cuchillo un taburete.

—Siéntate. Me ayudarás a separar las uvas de las raspas.

Me senté y estuvimos trabajando en silencio un rato. La pila de uvas era gigantesca. Y todas estaban verdes. No lo entendía. A la anciana quizá le faltara un tornillo, pero no tenía un pelo de tonta. ¿Por qué las había recolectado antes de que maduraran?

Me hizo pensar en Annie, en su cáncer y en lo injusto que era para una chica de su edad tener incluso que pensar en la muerte. Era como recoger uvas verdes, no tenía ni pies ni cabeza.

—Venga, suelta lo que quieres preguntarme de una vez —dijo la mujer del Coronel a los pocos minutos—. Es casi como si estuviera oyendo tus pensamientos en voz alta.

—¿Qué está preparando? —dije mirando los tarros de cristal reluciendo como experimentos todavía por saborear en la encimera.

—Mermelada —repuso—. Mermelada de uva Mustang verde—. Aunque por supuesto le añadiré un montón de azúcar para endulzarla.

—¿No hubiera sido mejor recolectarla cuando estuviese morada?

—Bueno, podría haber esperado a que maduraran los racimos —respondió—, pero ¡vete a saber si iban a durar tanto!

—Seguramente lo habrían hecho —sostuve.

—Claro, pero los ciervos no esperan a que la uva esté en su punto para comérsela. Al igual que los mapaches, los zorros y otros animales parecidos. Yo hubiera preferido esperar, pero no puedo. Si quiero comer mermelada de uva, la tengo que preparar ahora, antes de que madure.

»A veces —dijo tras guardar silencio varios segundos—, a veces tienes que actuar. No puedes esperar. Debes hacer lo que es necesario antes de que el mundo decida por ti.

Sin duda ahora no se refería a las uvas.

—¿Ha estado Annie aquí? —dije preguntándome si la señora Empson sabía lo que planeábamos—. ¿Ha estado hoy por su propiedad?

—Sí —dijo sin más, asintiendo con la cabeza.

Después de terminar de limpiar las uvas, me detuvo agarrándome del brazo con una de sus ásperas manos. Me encogí de dolor, me había apretado justamente en uno de mis peores moratones.

—¿Te acuerdas de la montaña en la que te caíste? —dijo—. Annie me contó lo que realmente te sucedió cuando vino a verme. Esos chicos son peligrosos.

—¡No sabe cuánto!

—Mantente alejado de ellos, si puedes. Quédate en el valle si no vas a estar en casa. Él te protegerá.

Casi me echo a reír.

—Creo que tiene razón. Ojalá pudiera vivir en él.

Ella me leyó la cara con la mirada.

—¿Sabes qué? Supongo que tú podrías hacerlo perfectamente —dijo recalcando la palabra *tú*.

—¿Qué? —pregunté sin saber a lo que se refería

—Cuando mi marido murió, me fui al valle. Estaba tan destrozada por la pérdida que no era... yo. El valle me alimentó y me mantuvo caliente y seca durante todo el tiempo que me hizo falta. Tardé en recuperarme del disgusto. Más de varias semanas —me contó echándose a reír—. Al volver a casa tenía una pinta horrible, iba con el pelo lleno de palitos y hojas. Supongo que parecía un yeti.

¿Había vivido en el valle?

—¿De qué se alimentó?

—De lo que el valle me proporcionaba —respondió lentamente, recordándolo—. Bayas, frutos secos. Cebollas y setas silvestres. Pescado. Agua fresca y pura. Ya te lo puedes imaginar. Cuando estaba ahí abajo, no podía dejar de pensar en el maná y en las codornices caídas del cielo de la Biblia. Pero nunca cacé una. Siempre he creído que son demasiado monas para matarlas. Pero el valle tenía comida de sobra para mí.

Nunca enfermé por comer una baya o una seta silvestre venenosa. Creo que el valle las esconde para proteger a sus amigos.

Se detuvo, escrutándome con la mirada.

—Pero no te estoy diciendo que te vayas a vivir al valle. Solo mantente bien lejos de esos chicos.

—Me encantaría —repuse lavando las uvas en un colador de metal gigantesco en el fregadero—. Pero no me dejan ni a sol ni a sombra —añadí, y luego le conté lo del día anterior, que intentaron entrar en mi casa forzando la cerradura con un destornillador y lo asustado que me había sentido.

Al alzar la vista, vi que la anciana tenía la cara blanca y crispada.

—¿Ahora se dedican a robar en las casas? Esto es nuevo. Peor que lo otro. Escucha, hijo, no creo que sus padres sean demasiado como Dios manda, porque solo hay un sitio donde los chicos de esa edad aprenden a ser tan crueles con las criaturas indefensas: cuando se sienten indefensos en las manos de adultos retorcidos. Pero sus padres tienen que enterarse de esto.

—¡No se lo diga! —exclamé sintiéndome aterrado de golpe—. Se meterán con mi hermana o conmigo. O con Annie. No se lo diga, por favor.

—Lo que no puedo hacer es no decírselo —repuso lentamente, como si me costara entender las palabras—. A esa clase de chicos, si no les paras los pies, te amargan la vida. Y a veces te la hacen incluso imposible.

—¡No! —grité, poseído por el pánico. Ella no lo entendía—. Si se lo cuenta, la situación no hará más que empeorar. Me están poniendo a prueba para ver si mantengo la boca cerrada.

—La cosa no funciona así —afirmó ella—. Están tanteándote para ver si mantienes la boca cerrada. Y entonces cada vez te harán unas trastadas más gordas…, los he estado observando todo el año. Han matado a la mayoría de gatos de la zona. La gente le echó la culpa a los coyotes, pero yo los vi perseguir a uno. ¿Y ahora están empezando a entrar en las casas a robar? Yo vivo sola en este lugar. Me da miedo...

—¿Le dan miedo esos chicos?

La anciana resopló.

—¡Ni hablar!, lo que me da miedo es tener que pegarle un tiro a uno de ellos. ¿Acaso crees que llevo la escopeta encima para que haga bonito?

Ella me sonrió, pero yo no le devolví la sonrisa. Ya no había vuelta atrás, lo sabía. La anciana iba a hacer lo que creía que debía hacer.

—Al menos no diga nada hoy —le pedí—. Tengo que ir a ver a Annie y no quiero que vengan a por mí mientras voy al campamento.

—¿Vas a despedirte de ella?

—¿Despedirme? —pregunté desconcertado.

—Han adelantado su tratamiento. Por lo visto, los médicos estaban más preocupados por su análisis de sangre de lo que te ha contado. Por eso vino a verme, para despedirse de mí. Me pidió que si te veía te dijera adiós de su parte. Solo disponía de unos minutos para hablar. Su madre vendrá a recogerla esta tarde.

Me quedé mudo de asombro. ¿Esta tarde?

Conque no podría fugarse, ni llamar la atención de su madre. Ni cambiar lo que iba a sucederle.

Se me hizo un nudo en la garganta por lo injusto de la situación; me costaba respirar. Ahora que por fin tenía una amiga, alguien que creía que mi quietud y mi silencio eran buenos en lugar de algo raro. Alguien que entendía lo que era sentirse ignorado cuando más necesitabas que te comprendieran.

Ahora la iban a apartar de mí. A apartar de ella misma, de su vida antes de poder convertirse en la Annie increíble que estaba destinada a ser.

—Vuelve a casa —me aconsejó la señora Empson, y luego abrió la puerta y agarró su casco decorado con llamas—. ¿Quieres subirte al *kart*? Te llevaré y, en cuanto llegues, resuelve de una vez por todas lo de los padres de esos chicos. Esta historia se tiene que acabar hoy mismo.

—No —dije—. No necesito que me lleve a casa.

Me echó una mirada extraña, pero se encogió de hombros.

—Como quieras. Pero ándate con cien ojos, esos chicos son peligrosos. Yo también aguzaré la vista y el oído. Si mantienes la boca cerrada como te han pedido, no creo ni loca que te dejen en paz. Pero como me parece conocer cómo son sus padres, sé que los chicos no se podrán sentar en una semana o algo todavía peor.

Tenía que verla. Tanto si Doug y Jake me pillaban como si no. Al menos debía decirle que la entendía.

Tenía que contarle que había cambiado de opinión. Que la habría ayudado a fugarse. Que había estado escuchando lo que me había dicho, y que lo había entendido.

Al llegar al campamento descubrí que todas las chicas estaban dentro del cobertizo principal. Las oí cantar «Esta lucecita mía», acompañadas de ukeleles o guitarras desafinadas. Me dio la sensación de que Annie estaría en su litera.

Había dos maletas apiladas bamboleándose en el escalón de la entrada de su bungaló. Pensé en Annie manteniendo el equilibrio en las rocas que bordeaban la Laguna Bonita, saltando junto a mí de una piedra caliza a otra para dirigirse al valle. Después del tratamiento tal vez no pudiera mantener el equilibrio. O quizá ni siquiera caminar.

Se me hizo un nudo más fuerte aún en el estómago. *No era justo.*

Llamé a la puerta. A los pocos segundos se abrió. Casi doy un grito ahogado de sorpresa. Nunca había visto a Annie con una mirada tan vacía, tan vidriosa. Como si ya hubiera perdido aquella parte suya que hacía que los ojos le brillaran.

¿La había yo herido hasta ese punto?

Pero cuando me vio logró esbozar una sonrisa.

—Hola, Peter —dijo—. ¿Has venido a despedirte?

Ella se iba a marchar.

—No, he venido para... —dije ahogándoseme la voz. *Para ayudarte a fugarte,* quería decirle. Pero ahora... ya era demasiado tarde—. ¡Para pedirte perdón! —exclamé—. No sabía que te ibas hoy.

—Sí, bueno, los médicos han acabado convenciendo a mamá de que el tratamiento no puede esperar. Me voy dos días antes. ¡Viva!

¿Intentaba bromear en un momento como este? No me tomé la molestia de sonreír.

—¿Le has dicho cómo te sientes? —pregunté tragando saliva—. Me refiero a tu madre. ¿Qué prefieres no recibir el tratamiento?

Annie dejó escapar una breve risa.

—Me dijo que estaba exagerando. Que se alegraba de que no tomara yo la decisión. Que era demasiado joven e inmadura para esta clase de discusiones.

¿Inmadura? ¿Annie? ¡Si era la persona más madura que jamás había conocido!

—Voy... voy a echarte de menos, Peter —dijo Annie con voz temblorosa, y sentí mis ojos anegarse de lágrimas—. Echaré en falta hacer arte contigo. Quizá... quizá puedas hacerlo tú y enviarme fotos.

—Claro que lo haré —respondí con voz agarrotada—. Pero tú volverás. Lo harás conmigo...

—No —repuso—. Te lo he dicho, he usado todos mis deseos.

—¡No digas eso! En el valle se te han cumplido todos, ¿no crees?

Ella rió, una fugaz curvatura de los labios desvaneciéndose como una gota de agua.

—Pues fuera de él no soy la chica de los deseos. Te lo prometo, porque he deseado un millar de veces que esto no sucediera —dijo haciendo una floritura con la mano al señalarme las maletas.

—¿Dónde está ahora?

—¿Quién? —preguntó Annie sentándose encima de una de ellas.

—Tu madre —dije echando un vistazo alrededor. No se veía ni rastro de su madre ni de ningún adulto.

—Le he pedido que me dejara sola el resto del día para despedirme de mis amigas —repuso trazando en el aire unas comillas al decir la palabra *amigas* e inclinando la cabeza hacia el cobertizo—. Me alegro de que hayas venido. Solo quería despedirme de ti. Y darte las gracias. Me lo he pasado en grande contigo. Fue una gran forma… de terminar.

No. Una voz dentro de mí gritó en silencio. *No. No de esta manera. No es justo.*

No podía dejarla partir de este modo.

—¿Para despedirte de mí? —dije cuando estaba seguro de poder volver a hablar—. ¿Por qué ibas a querer hacerlo? —añadí sintiendo una gran sonrisa asomarse en mi cara y por primera vez en días noté que empezaba a írseme esa sensación de vacío en la boca del estómago—. Me refiero a que nos vamos a fugar juntos, ¿no?

Capítulo 26

—¿Nos vamos a fugar? —chilló Annie—. ¡Pero si es demasiado tarde!

—¿Por qué? —repuse sintiendo que mi sonrisa aumentaba al ver las emociones aflorar en su cara: confusión, miedo, asombro, esperanza. Por primera vez desde el lunes tuve la sensación de hacer exactamente lo que se suponía que debía hacer—. ¿Ahora no quieres fugarte?

—No —repuso—. Quiero decir, sí. Pero tenemos que preparar la mochila de nuevo: saqué todas las provisiones de ella. Y tú no has traído nada contigo, tendrás que volver primero a tu casa. Y no nos queda tiempo. Mi madre regresará en un par de horas.

—Tenemos tiempo de sobra —afirmé recordando lo que la señora Empson me había dicho—. Si nos fugamos, tenemos que viajar ligeros de equipaje. Agarra un par de botellas de agua mineral y tal vez una chaqueta. Esto es todo.

—Pero ¿y la comida? —preguntó Annie mirándome como si hubiera perdido el juicio—. ¿Y las mantas?

—El valle se ocupará de ello —respondí.

—Estás como una cabra.

—¿Ahora te das cuenta? —respondí con una sonrisa tan inmensa en mi cara que casi me dolía y todo—. Larguémonos.

Agarró una chaqueta y la cantimplora de Doublecreek del bungaló y se metió en el bolsillo un par de bolsas de ganchitos de maíz con sabor a queso.

—De acuerdo —dijo tomándome de la mano.

Nos escabullimos por detrás del bungaló y luego echamos a correr como locos. Nos quedaba un largo camino por recorrer. Y solo disponíamos de un par de horas. El otro día habíamos tardado casi una hora en llegar a la pradera de los lirios de lluvia y hoy íbamos a ir mucho más lejos.

Al cruzar corriendo las mismas tierras por las que pasé cuando fui por primera vez al campamento, sentí las espinas y los abrojos llenos de pinchos rasgándome la piel de los tobillos.

—¡Ay! —gritó Annie al pisar una piedra puntiaguda.

—Cuando nos encontremos en el valle —dije jadeando—, ya no tendremos que preocuparnos por si nos hacemos daño.

Cuando llegamos al inicio del valle, el sol ya estaba empezando a descender. Debían de ser las cuatro de la tarde. Estaba acalorado y sediento, pero como intuí que Annie se sentía peor que yo, dejé que se bebiera toda el agua de la cantimplora. Cuando pasáramos por la Laguna Bonita, ya nos detendríamos para volver a llenarla.

Al entrar en el valle nos envolvió una ráfaga de viento.

—Ya hemos llegado —dije.

Annie volvió a agarrarme de la mano y me sentí como si fuéramos a saltar al vacío juntos.

Y de algún modo sabía que no nos estrellaríamos. Que el valle nos atraparía al vuelo.

Bajamos a todo correr por la ladera hacia la Laguna Bonita, asustando a tordos y saltamontes, e incluso a un par de conejos. Nos detuvimos solo unos segundos para refrescarnos la cara y llenar la cantimplora de agua, y luego le echamos una carrera al sol hasta el fondo del valle. Unos ciervos salieron de pronto de la maleza para seguirnos, haciendo volar nuestros pies para que se ajustaran a los suyos. Estaban lo bastante cerca como para poder tocarlos, y vi a Annie acariciando el pelaje moteado de un cervato galopando. Se dejó acariciar mientras corríamos, dándole a la fuga un aire mágico.

Me lo tomé como una buenísima señal.

En el fondo del valle estaba oscureciendo y echamos a correr más deprisa aún, sabíamos que en cuanto anocheciera no podríamos seguir.

—¿Estás cansada? —le pregunté jadeando al detenernos un momento a beber. Habíamos vuelto a llenar la cantimplora en el riachuelo, y Annie dijo bromeando que probablemente se moriría de una infección bacteriana antes que de cáncer por haber bebido esa agua sin tratar.

No me reí porque no me hizo ninguna gracia su ocurrencia. Pero negué con la cabeza.

—El agua es potable. La señora Empson me lo aseguró.

—¿Le dijiste a dónde íbamos, Peter Stone?

—No. Aunque en cierto modo fue ella la que me dio la idea —admití contándole lo que la anciana me había dicho sobre que el valle me alimentaría, y a ella también.

Annie sacudió la cabeza.

—¿Cómo puedes confiar en una persona que no está bien de la cabeza, Peter?

—Lo he estado haciendo durante casi dos semanas —repuse bromeando, enarcando las cejas.

Ella se echó a reír.

—¿Cómo es que nadie ve lo divertido que eres?

—Solo tú crees que soy divertido, o artístico, o lo que sea —respondí, y fingí ser bizco para hacerla reír una vez más—. ¡Ojalá te hubiera conocido antes! Ser tu amigo me habría ahorrado un montón de problemas. Y cerca de cuarenta sesiones con el psicólogo más muermo del mundo.

Annie se detuvo, agarrándome para que me parara.

—¿Otra vez lo del psicólogo?

—¡Olvídalo! —dije. Pero ella se quedó plantada esperando mi respuesta—. ¿Es que crees que eres la única que tiene problemas? —añadí sonriendo para que viera que estaba bromeando. Pero no dijo nada, simplemente esperó. Esperó hasta que me sentí dispuesto a contarle mi historia.

Supongo que lo había aprendido de mí.

—Vale, tú camina que yo hablaré —dije. Ella echó a andar de nuevo a mi lado y yo le revelé mi historia—. El año pasado unos chicos de San Antonio se dedicaron a pegarme. Me sacudían a base de bien cada día. Al principio nadie me creía. Aquellos tipos eran unos «buenos chicos». En cierto modo habían sido amigos míos cuando éramos pequeños. Pero me tenían por un cobardica.

Ayudé a Annie a pasar por encima de un tronco caído, preocupado por la rapidez con la que se hacía de noche. Y por lo hambriento que me empezaba a sentir.

—¡Espera! —gritó ella.

Al pie del tronco crecía una zarza enorme repleta de zarzamoras recién maduradas.

—¡La cena! —exclamó ella, y empezó a arrancarlas lo más rápido posible. Le eché una mano, asombrándome de que las espinas se apartaran de mis dedos mientras las cogía.

—Gracias —le susurré al valle.

—¿Y? —me recordó Annie—. Sigue contándome tu historia.

—Y cuando se lo dije a mi padre, creyó que tenía que apañármelas yo solo.

—¿Qué? —gritó ella con los ojos como platos, sacudiendo la cabeza—. ¿Cómo es posible?

—Pero he de decir en su favor que no se dio cuenta de lo mala que era la situación. Le rogué que no hiciera una escena. Pero como quería ayudarme de algún modo, me inscribió a kárate —proseguí, aunque supuse que no era necesario que le contara la historia relacionada con el kárate, porque la otra ya era lo bastante bochornosa.

»Como te iba diciendo, varios meses después de haberme estado torturando esos chicos continuamente —dije aspirando una bocanada de aire al recordar el miedo, mi intento de defenderme, las costillas rotas por atreverme a hacerlo... Finalmente exhalé, dejando salir todo el aire. Ya era agua pasada. Ahora en este lugar, en el valle, estaba a salvo del dolor y los recuerdos.

»Empecé a hacer lo que me dijo el psicólogo al que mi madre me llevó: aprender a ser más asertivo, ajá. A escribir un diario —le conté, y luego me metí el último puñado de zarzamoras en la boca—. Venga, adentrémonos un poco más antes de que oscurezca del todo.

—Dijiste que habías dejado de escribir —observó Annie en medio de la penumbra—. ¿Te referías al diario? ¿Qué pasó?

—Mamá leyó mi diario y le dio un ataque —dije sin entrar en detalles, esperando que Annie se contentara con esta explicación.

Pero como era de esperar, no lo hizo.

—¿Por qué? —dijo.

Las palabras quedaron flotando en el aire al menos cinco minutos mientras cruzábamos corriendo las praderas y bordeábamos los arbustos achaparrados y los árboles.

Al final le contesté, esperando que se olvidara del tema.

—Porque estaba escribiendo... sobre no tener que enfrentarme a este problema nunca más. Ni a ningún otro —admití sacudiendo la cabeza—. Supongo que se puede decir que empecé a hacer planes para rendirme... para siempre. Para dejar de vivir.

—¡Peter! —exclamó Annie parándose en seco.

Eché una mirada a su cara. Tenía los ojos ensombrecidos y brillantes. Y la tez húmeda. Debió de estar llorando mientras le contaba la historia.

Llorando por mí. Le enjugué el rostro con la mano. Nadie había llorado nunca por mí, o al menos eso creía. Aunque sí que habían llorado por mi culpa, por ser un hijo tan cobarde, un perdedor.

Pero nunca *por mí*.

—Peter, ¿te planteaste quitarte la vida?

Me encogí de hombros.

—Solo pensaba en ello. Pero no iba a hacer algo descabellado. Como fugarme de un tratamiento para el cáncer que fuera vital para mí.

Annie rió hipando.

—¡Memo! —exclamó sacudiendo la cabeza.

Apenas la veía en la penumbra, pero sentí su cuerpo cálido y suave arrimarse a mí, estrechándome, ciñéndome por la cintura.

—Peter, tienes que olvidarte de ese disparate. Has de prometerme que nunca más pensarás en ello. Jamás.

—¡No hay para tanto! —respondí, preguntándome por qué su voz queda hacía que mi corazón se sintiera... lleno por primera vez.

—No —musitó—. No lo entiendes. No puedo imaginarme la vida sin ti...

Me estrechó fuertemente entre sus brazos y yo le devolví el abrazo, preguntándome si alguna otra persona podría sentir lo mismo por mí. Por el estúpido, callado, cobarde y tímido Pete Stone. El chico que había permitido que le machacaran a diario durante meses resignándose a su suerte, ocultando las costillas rotas y la nariz ensangrentada, porque le dolía más aún devolver los golpes e incluso decir lo que pensaba.

—¡No hay para tanto! —repetí refiriéndome a que no había estado en un tris de hacerlo ni tomado esta decisión.

—Peter, no estoy exagerando, incluso el hecho de pensar en querer desaparecer es horrible —repuso ella suspirando—. El mundo, el mundo entero, sería un lugar mucho más sombrío sin ti. Tú eres para mí... como una luz.

¿Yo… era una luz?

Y de pronto, como si el valle le diera la razón, el mundo entero desapareció en un estallido de luz.

Al principio me quedé cegado. Deslumbrado. Y entonces la luz empezó a palpitar, a destellar, a vibrar. Eran…

—¡Luciérnagas! —musitó Annie—. ¡A montones!

—¿De dónde han salido? —pregunté, casi sin dar crédito a mis ojos. Las había a centenares, a millares. A decenas de miles. Parpadeaban tan rápido que era como estar contemplando una luz estroboscópica. Iluminaron el suelo, la zona que nos rodeaba.

Alargué el brazo y empezaron a posarse sobre mí, cubriéndome la piel con sus oscuros cuerpos rayados y sus abdómenes luminosos. Eché un vistazo a Annie, que estaba también cubierta de luciérnagas y reía en voz baja mientras los bichitos correteaban a sus anchas por su cara y su pelo, volándole del hombro a la nariz, y de vuelta al hombro. Jugueteando con ella.

Y de repente oí algo.

—¡Shhh…! —exclamé llevándome el dedo a los labios.

Annie también vio la luz, porque era muy potente. Pero al emitir yo ese sonido todas las luciérnagas echaron a volar.

—¡Annie! —oí—. ¡Peter!

Se oía a lo lejos, a una gran distancia, pero la brisa rozándonos las orejas nos trajo el sonido con la suficiente claridad para entender nuestros nombres. Las voces se oían cerca del valle, aunque no venían de él, pero nos estaban llamando. Se ve que ni por asomo nos habíamos alejado lo bastante.

—¿Crees que podemos seguir avanzando? —musité.

—¡Qué lástima que no tengamos una linterna! —respondió Annie en un susurro.

De pronto las luciérnagas empezaron a hacer luz de nuevo, pero esta vez cerca del suelo…, formando un sendero. Un claro sendero iluminado que discurría por la maleza cruzando el valle. Corrimos durante lo que nos pareció horas, siguiendo el rastro marcado por los insectos hasta estar demasiado exhaustos como para seguir, y entonces las luces de las luciérnagas se fueron atenuando.

—¿Es hora de dormir? —dije entre dientes.

Y de pronto, como si me concedieran mi deseo, apareció un lecho de hierba mullida iluminado por las últimas luciérnagas con luz que quedaban, y Annie y yo nos desplomamos en él.

—Nos están buscando —susurré.

—Sí —repuso ella con una voz que sonaba llena de lágrimas—. ¿Peter? —oí en medio del creciente negro púrpura de la noche—. Prométeme que no me harás volver. No puedo. Si lo hago, tal vez ya no me acuerde de las luciérnagas. Del valle. De ti.

—¡Oh, Annie! —exclamé—. Sigo esperando que… ¡quién sabe! A lo mejor no será tan horrible como crees. Quizá no perderás una parte de ti, no te habrás ido para siempre. Tal vez… te transformarás.

—¿Cómo el arte? —dijo ella entre sollozos—. ¡Oh, Peter, ojalá sea así!

Yo también lo deseaba. El corazón me pesaba tanto como los párpados. Ambos sabíamos en el fondo que no había esperanza alguna. Pronto nos encontrarían. Al cabo de un día, o dos como máximo. El valle no podía escondernos para siempre.

Pero sabía a lo que ella se refería, lo que necesitaba. Alguien que estuviera a su lado. Asentí con la cabeza, aunque no pudiera verla.

—No te haré volver, te lo prometo.

Sentí sus dedos curvarse alrededor de mi hombro, su espalda arrimarse a mi lado en la hierba mullida. Nos quedamos dormidos casi antes de reclinar la cabeza en el suelo como quien dice.

Fue la mejor noche de todas. Pero le siguió el peor día de mi vida.

Capítulo 27

—Oigo algo —dijo Annie a la mañana siguiente. Nos levantamos justo antes de despuntar el sol, hicimos pis entre la maleza (era de lo más embarazoso como me había imaginado) y nos encaminamos al riachuelo guiados por el murmullo del agua. Era casi más grande que un arroyo, en algunos lugares se convertía prácticamente en un río poco profundo, con peces tan largos como mi antebrazo nadando en algunas de las lagunas más hondas. Tomamos un nutritivo desayuno a base de ganchitos de maíz con sabor a queso y agua del arroyo, y mantuvimos una conversación breve y ridícula sobre la posibilidad de pescar un pez para incluirlo en nuestra pitanza. Como a ninguno de los dos nos gustaban los *sushis* ni sabíamos capturar peces sin anzuelos, lo dejamos correr. Pero decidimos bordear el riachuelo.

—¿Crees que son ellos? —dijo Annie.

Se detuvo quitándose de encima el gorrión que llevaba toda la mañana piando en su hombro para alentarnos. El pájaro voló a un árbol y Annie prestó atención con la mano ahuecada en el oído.

—¿Oyes algo? —pregunté.

—Creo que son nuestros padres —repuso ella—. Mi madre. —Los dos nos quedamos quietos, pero ya no oímos nada más.

No sé si a Annie le pasaba lo mismo, pero yo estaba empezando a sentir el gusanillo de la conciencia. Mi madre seguramente estaría volviéndose loca, al borde de un ataque. Yo ni siquiera había dejado una nota. Y entonces caí en la cuenta de que mamá no sabía que me había fugado con Annie. La única forma de enterarse era yendo a hablar con la señora Empson.

Y no estaba seguro de que la anciana les contara dónde habíamos ido. No le gustaba que hubiera gente en su valle. Detestaba a la mayoría de la gente. Sobre todo a las personas ruidosas como mi familia.

—¿Dejaste una nota, Annie?

—Mmm..., pues no. No me dio tiempo —repuso.

—A lo mejor ni siquiera saben que nos hemos fugado juntos. Quizá piensan que nos hemos perdido.

—Probablemente mi madre se lo imaginará —afirmó Annie—. Y no se va a preocupar. Simplemente se enojará. Ella es así. Créeme, probablemente esté pensando en el rapapolvo que me va a echar, en lugar de buscar la foto perfecta para imprimirla en los cartones de leche por si alguien me reconoce.

¡Uy! Annie parecía estar resentida. Intenté no pensar en mi madre, en las lágrimas rodando por sus mejillas cuando creyó que volvía a estar deprimido.

Supongo que de hecho lo había estado, hasta que conocí a Annie. Hasta que descubrí el valle. Tal vez mi madre tenía todo el derecho a disgustarse.

Pero ahora me sentía más animado que nunca. Era increíble. Casi podía sentir la sangre corriéndome por las venas, transformando el aire fresco matutino del valle en energía mientras caminábamos. La brisa estaba llena de abejas y del aroma a madreselvas, y el murmullo del riachuelo era como una música relajante y natural. Y mis pisadas formaban parte de la melodía, un acompañamiento perfecto. Sin ningún triángulo o cencerro a la vista. De pronto se me ocurrió que ojalá papá pudiera oír esta música. Pero me saqué enseguida este pensamiento de la cabeza

El valle era tal como yo pensé que sería la primera vez que lo vi. Un paraíso. Un Jardín del Edén de verdad. Y encima, uno privado.

Annie también sentía lo mismo. Yo estaba muy contento porque, si ella tenía que volver, me refiero a que sabíamos que nos acabarían encontrando un día y que no podríamos alimentarnos eternamente solo de bayas y agua, me alegraba de que hubiera gozado de este día, de esta libertad antes de enfrentarse el sufrimiento que le esperaba.

Y yo también me alegraba de haberlo gozado antes de que me enviaran a un colegio militar, a un campamento o a donde fuera.

Annie echó a correr tras una mariposa gigantesca de cola horquillada, y al acercarse demasiado al río resbaló y se cayó de barriga como un pez en la orilla fangosa y fue a parar al agua.

—¿Estás tomando un baño de barro, Annie? ¿Crees que tenemos tiempo para esto?

Al ver que se había quedado tendida de bruces en el fango, con los hombros agitándosele, me acerqué con cautela. ¿Se habría hecho daño? ¿Estaría llorando?

¡No, me estaba engañando! En cuanto mi tobillo estuvo al alcance de su mano, me arrojó de un tirón al fango a mí también.

Por lo visto no hay nada como una batalla en el fango para hacerte olvidar una hospitalización inminente y la imposición de un castigo eterno.

La batalla en el fango se convirtió en una carrera a nado, y Annie era tan buena nadando como en todo lo demás. Yo en cambio no lo era tanto y, cuando descubrió que la natación no era mi fuerte, se burló de mí arrojándome barro y alejándose luego nadando lo más rápido posible.

Al principio era divertido. Pero al cabo de un rato la parte que queda entre los omoplatos me empezó a… picar. Los insectos también se pusieron a zumbar con más insistencia y los pájaros cruzaron volando el cielo como si huyeran de algo. Un golpe de viento se llevó volando mi ropa, como si quisiera que echara a correr con ella para internarme más aún en el valle.

De súbito oí algo, un aullido que nunca antes había oído. Se me erizaron los pelos de la nuca.

—Aquí estamos a salvo —musité para mis adentros.

Confiaba en ello, pero, fuera lo que fuera, la criatura que lo había lanzado debía de ser enorme. ¿Quizá tan grande como un puma? Ahuyenté este pensamiento de mi cabeza.

Estábamos a salvo. Este lugar era de lo más seguro. Y además nos sentíamos contentos, por el momento.

Aburrida del fango y probablemente de mí por estar ignorándola, Annie se alejó nadando una corta distancia para ir a una roca pequeña en medio del arroyo, donde el agua era más profunda. A su espalda se alzaba un acantilado de piedra caliza de seis metros de altura y ante ella se extendía la orilla cubierta de fango. Mientras estaba de pie en la roca de cara a mí escurriéndose el borde de la camisa, se me volvieron a erizar los pelos de la nuca. Había una figura plantada en lo alto del acantilado, pero como la vi a contraluz no reconocí quién era. Al principio creí que tal vez fuera mi padre o alguna otra persona buscándonos para llevarnos de vuelta a casa sanos y salvos.

Pero de repente oí unas voces.

«¿Has oído eso?» «¡Parecía un puma!» «No importa, creo que los hemos encontrado».

Y entonces descubrí que no era alguien que nos quisiera llevar de vuelta a casa sanos y salvos, sino que se trataba de esos dos chicos y que lo que querían era hacerme daño a mí y hacérselo quizá también a Annie.

¿Cómo era posible que hubieran llegado hasta aquí? ¿Cómo nos habían encontrado?

¿Por qué el valle no lo había impedido?

—Annie —dije en voz baja—. ¡Escóndete!

—¿Por qué? —repuso salpicándome juguetonamente.

—¡Escóndete! —repetí frunciendo el ceño de manera exagerada.

Annie se dirigió chapoteando rápidamente hacia el acantilado y se metió en la pequeña cavidad que formaba un saliente rocoso. Supuse que había logrado ocultarse casi del todo. Al menos desde la cima del acantilado no la verían.

Me alejé de la orilla. Quería que, de atraparnos a uno de nosotros, fuera a mí y no a Annie.

—¡Vaya, Petey, Petey! —oí—, por lo visto te hemos acabado encontrando.

Era Jake. Alcé una mano para impedir en parte que la luz del sol me deslumbrara.

Vi por qué lo había tomado por un adulto. Llevaba un montón de ropa: camisa de manga larga y tejanos, chaqueta y sombrero. Y botas de trabajo. No vestía como de costumbre.

—Te hemos estado rastreando y buscando toda la noche —oí decir a Doug mientras asomaba la cabeza por detrás de Jake. También vestía de forma extraña. Debían de estar muriéndose de calor con toda esa ropa encima. Los contemplé espantar a manotazos los mosquitos de la cara, y entonces me di cuenta de por qué llevaban tanta ropa: para protegerse de los insectos, las caídas y la hiedra venenosa, todas las tretas de las que el valle se servía para sacárselos de encima.

Mientras se acercaban al borde del acantilado se alzó de pronto una ráfaga de viento como si los estuviera intentando arrojar al vacío, echarlos al río. Pero se quedaron plantados ahí, sin moverse, mirándome.

—Nos imaginamos que estarías aquí abajo —me soltó Jake—. La anciana dijo que le caías bien. Le contó a nuestros padres que te habíamos dado una paliza. Que fuimos a tu casa a robar.

—Creíamos que eras más listo —añadió Doug. Advertí que llevaba un palo en la mano. Uno gordo. Tan gordo como un bate de béisbol—. Te advertimos de lo que te iba a pasar si te ibas de la lengua. ¡Qué lástima que no quieras llevarte bien con nosotros, Petey! Lo sentimos por ti.

No me cabía duda de lo que planeaban hacer. Y lo sabía. Sabía que no sería capaz de defenderme. Y aquí abajo, en un lugar tan alejado de los hospitales, no podría pedir ayuda a nadie.

Tal vez incluso me mataran.

El elevado acantilado caía a plomo y no había forma de bajar al valle. Podía dejarles atrás. El valle me abriría camino, estaba seguro.

Pero no podía abandonar a Annie. No podía correr el riesgo de que la encontraran sola.

—Chicos, no era mi intención meteros en problemas —dije—. Yo no les he contado nada a vuestros padres. Dejadme ir.

—Supongo que querías huir de nosotros —repuso Jake—. Pero no hay forma de evitar lo que te espera —afirmó avanzando, como si fuera a bajar por la pared del acantilado y a cruzar el arroyo. Doug agarró su bastón y lo usó para descender un poco más por la pared rocosa.

Solo necesito una ayudita, pensé. *No puedo dejar a Annie sola. No puedo huir.*

De repente se levantó de nuevo un golpe de viento, ululando. El valle me había oído, me dije. Pero el viento no era el que me iba a ayudar. De súbito comprendí que el chillido venía de un halcón que se había lanzado por encima de la cabeza de Doug, bajando en picado más veloz que la lluvia. Doug vio dónde tenía yo clavados los ojos y siguió mi mirada descubriendo el halcón y esquivándolo en el último instante.

—¡Jake! —gritó.

Jake se paró en seco, echó a correr hacia su hermano y le quitó de un tirón el palo para blandirlo en el aire mientras el halcón los perseguía a los dos con sus garras afiladas a solo un palmo de sus rostros. Al final el chico arrojó el palo al halcón y el ave se alejó volando.

Al menos ahora no iban armados, pensé cuando volvieron a fijarse en mí. Estaba seguro de que el valle se las apañaría para que no encontraran otro palo.

Pero me equivoqué.

Mientras se dirigían hacia mí, el borde del acantilado empezó a desmoronarse. Miré rápidamente a Annie. Se había quedado inmóvil, como le había dicho. Sin decir ni pío. Pero vi que la lluvia de rocas la estaba asustando. Me acerqué a la orilla chapoteando por el barro, preparado para tirarme al agua e ir braceando adonde ella estaba si me necesitaba.

—Puedo correr más deprisa que vosotros —les solté a los chicos—. Venga, bajad por el acantilado si os atrevéis, que yo ya me habré ido cuando lleguéis —añadí señalando con el dedo las rocas—. Este valle os odia, pero yo le caigo bien. Me ocultará tanto tiempo como necesite. ¡Mirad, os quiere hacer caer al vacío! ¿Es que no lo veis? Parece que el acantilado se vaya a desmoronar en cualquier momento. Yo de vosotros me largaría.

»Annie, prepárate para echar a correr —le advertí intentando no mover los labios, pero el murmullo del arroyo era tan fuerte que no estaba seguro de si me había oído.

En ese preciso instante cayó una piedra del acantilado y Annie sacudió la cabeza. ¿Qué pasaba? ¿Qué me intentaba decir? Estaba distraído y no me había dado cuenta de que Doug había desaparecido.

—¿Crees que le caes bien… a este… valle? —me gritó desde arriba Jake—. ¿Crees que está vivo o algo parecido? —añadió soltando una ruidosa carcajada—. Sé que eres estúpido y que tienes miedo hasta de tu propia sombra, pero no sabía que también estuvieras chiflado.

—Di lo que quieras —respondí sintiendo que se me encendía el rostro—. Ya sabes que este valle no te quiere en él. Pero a mí me protege. Ya lo verás. Nada de lo que hagáis os va a funcionar —afirmé intentando aparentar con la voz una gran seguridad, como papá siempre me había dicho que hiciera. Como si yo creyera lo que les decía.

Casi lo logré.

—Prepárate —le susurré a Annie, preguntándome dónde se habría metido Doug, esperando que no hubiera bajado rodeando sigilosamente el acantilado para pillarnos. Le indiqué con la mano que esperara, pero de pronto cayó otra lluvia de guijarros y ella sacudió la cabeza de nuevo y se puso a nadar lentamente por el agua hasta llegar a la islita que había en medio del arroyo.

—¡Mira por dónde! —oí decir a Doug, y luego lo vi aparecer cargado con algo, ¿sería una piedra? Sí, era una piedra enorme de al menos un palmo y medio de ancho—. Veamos lo que tu valle puede hacer con esto.

Y entonces la levantó por encima de su cabeza. Pero de pronto se alzó una ráfaga de viento, ululando a través de las hojas. El ruido era ensordecedor: las hojas se agitaban enfurecidas, el viento chillaba en lo alto del acantilado, el agua estaba embravecida como si se estuviera avecinando una inundación, y entonces supe que estaba en un aprieto.

No estaba seguro de lo que me esperaba, pero lo que sí sé es que le aterró a Annie, porque se puso a nadar a toda velocidad para cubrir la pequeña distancia que le quedaba para llegar a la roca que emergía en medio del riachuelo. Doug no la vio, creo, y ella no tenía idea de lo que estaba sucediendo en lo alto del acantilado. La piedra casi se encontraba en el aire cuando Annie se encaramó a la islita rocosa, moviendo entre Doug y yo su cabeza coronada por unos rizos rojos mojados como una señal de stop, como una bandera roja de advertencia.

—¡No! —grité—. ¡Párate! —se lo estaba diciendo a Annie, pero Doug lo oyó y vaciló. Y en lugar de arrojarme la piedra con todas sus fuerzas, la dejó caer al vacío.

Contemplé la piedra enorme trazar un arco hacia Annie e ir directa a su cabeza.

Vi cómo le golpeaba, vi el miedo y el dolor en su cara una fracción de segundo antes de que cayera de rodillas, se desplomara de bruces y se hundiera en el agua, con el rojo de su pelo extendiéndose por momentos en una mancha rojiza más ancha y larga a medida que sangraba.

Parecía que se estuviera desangrando.

Capítulo 28

En alguna parte más próxima a nosotros que antes, un fuerte aullido partió el aire del valle en dos.

—¡Es un puma! —oí gritar a Doug.

Me daba igual. No pensé en ello, no podía pensar en mí, en Jake, en el puma ni en ninguna otra cosa. Ni siquiera en Doug en lo alto del acantilado, tuviera o no alguna otra piedra por arrojar, ni si me ahogaría al intentar rescatar a Annie a nado. Simplemente me tiré al agua.

En cuestión de segundos ya le estaba sacando la cabeza a la superficie.

—¡Annie! —exclamé—. ¿Estás bien?

Tenía los ojos cerrados. ¿Estaba muerta? Lo ignoraba. Pero lo que sí sabía era que debía detener la hemorragia, lo antes posible. Le apoyé la cabeza en una de mis rodillas. Pude sostenerla gracias al agua que hacía flotar su cuerpo. Las piernas se me cubrieron de sangre a los pocos segundos. Me quité la camiseta y la presioné contra la brecha de su cabeza que se extendía desde la sien a la mitad del cuero cabelludo.

—¡Madre mía, Jakey! —oí a Doug decir, aunque en un tono extraño, agudo y horrorizado—. ¡Madre mía, es esa chica! Le he dado con la piedra a esa chica.

—¿A qué chica?

—A la del pelo rojo. No la he visto —dijo a su hermano—. ¿Se va a poner bien? —me gritó desde lo alto.

—No —respondí gritando a voz en cuello con el corazón martilleándome en la garganta. La sangre traspasó incluso el tejido de la camiseta manchándome cada vez más las manos—. No está bien. Id a buscar ayuda.

—Seguro que no le pasa nada —oí decir a Jake.

No podía verle, pero parecía que estuviera bajando por el costado del acantilado por el que me temía que pudieran aparecer de repente sin que me diera cuenta.

Pero ahora no me daban miedo. Ya no me podían hacer nada más horrible de lo que me habían hecho.

Annie se movió en mis brazos y luego se desplomó de nuevo. Al cogerme por sorpresa, solté la camiseta para agarrarla a ella e impedir que se hundiera bajo el agua otra vez.

La brecha de la cabeza no paraba de sangrar. ¿Cuánta sangre podía perder una chica de su edad antes de quedarse sin una sola gota?

Jamás me había sentido tan asustado. Y cuando Jake apareció de pronto en la orilla fangosa del arroyo, a un metro y medio de distancia, con una piedra en la mano, me enfurecí como nunca antes lo había hecho.

—¿Por qué no has ido a buscar ayuda? —le espeté—. Se está desangrando. ¡Ve cuanto antes!

Vi el brillo de crueldad que normalmente había en sus ojos oscilar y convertirse en otra cosa. Miedo. Por primera vez desde que lo conocía parecía lo que era: un crío de diez años. Un niño, un niño estúpido.

—No pretendíamos haceros daño —dijo Jake—. Para nada. Solo queríamos asustarte. Ni siquiera estábamos seguros de que ella estuviera contigo.

—Deja de hablar —logré decir sin perder la calma—. Eso ahora no importa. Id a buscar ayuda. En este lugar tan apartado nadie nos va a oír. Necesita una ambulancia.

Al decir la palabra *ambulancia* Annie gimió y se movió, y

la sangre le empezó a gotear por el borde de la camiseta de nuevo.

—¡Oh, mierda! —exclamó Jake—. No lo hemos hecho aposta. Me... Me tengo que ir. ¡Doug! —gritó alzando la cabeza hacia el acantilado, por el que su hermano también estaba bajando con dificultad—. Doug, tenemos que ir a buscar ayuda. Está malherida.

Doug se quedó paralizado al vernos.

—¡Ve a buscar ayuda, Doug! —le pedí con la mayor firmeza de la que fui capaz mirándole a los ojos—. No importa cómo ha pasado. Necesita ayuda —añadí presionando con más fuerza con la mano la herida—. Yo no puedo hacerlo. Debo quedarme con ella, intentar detener la hemorragia. ¡Ve de una vez! —¿Por qué no se movía? ¿Es que no veía lo grave que era?—. Si no vas, se puede morir.

—¿Morir? ¿Morir? ¡Pero qué dices! Yo no he querido matar a nadie —me soltó Doug—. Nunca he querido matar a nadie. Yo... Jake, larguémonos pitando de aquí —gritó dejando de hablar y echando a correr.

Jake me lanzó una mirada asustada y cruel.

—Ocúpate tú de ella. Nosotros nunca hemos estado en este lugar. Ni siquiera te hemos visto aquí abajo. Nos olvidaremos de todo lo que ha pasado.

—¿Qué? ¿Nos vais a dejar aquí tirados? —logré farfullar indignado mientras se disponía a irse—. ¿Hablas en serio?

Dentro de mí brotó un grito, y en ese mismo instante resonó también otro, más cercano, en el valle: el puma.

—¡Corre, Jake! —oí gritar a Doug.

—¡Oh, mierda! —dijo Jake en un susurro dando media vuelta y echando a correr tras su hermano—. ¡Espérame, Doug! ¡Espérame! —chilló soltando la piedra mientras salía disparado.

Cerré los ojos, conque no vi lo que pasó como una exhalación por mi lado a los pocos segundos. Pero olía a almizcle y a salvaje, y corría ágilmente sobre unas patas pesadas y almohadilladas.

Iba tras los chicos. Ojalá los pillara, fuera lo que fuera. Se lo merecían, después de todo no se habían ido hacia su casa, o la casa de nadie, sino que se habían adentrado en el valle.

Huyeron despavoridos. Oí a un halcón graznando en el cielo mientras el ruido de sus pisadas desaparecía en el silencio. Hasta que los únicos sonidos que quedaron fueron los del agua gorgoteando en el arroyo, la respiración dificultosa de Annie, los latidos de mi corazón, y el tenue susurro de la brisa colándose por el manto de hojas en lo alto.

—¿P… Peter?

—¿Annie? —pregunté. ¿Estaba volviendo en sí? Debía de tener una conmoción cerebral. Creí recordar que había que intentar que una persona con una conmoción cerebral no perdiera el sentido—. Mantente despierta, Annie.

—Me dueleee —se quejó hablando con dificultad—. Suéltame.

¿Qué la soltara? ¡Qué disparate!

—No, Annie, no te soltaré. No te duermas.

—No quiero una ambulancia —la oí decir—. Ni médicos.

Me quedé callado, más callado aún que antes. Pero ¿qué estaba diciendo?

—Te vas a poner bien, Annie. Te pondrás bien. Iré a buscar ayuda.

Dobló las comisuras pálidas y ensangrentadas de sus labios un poquitín.

—Ya me estoy muriendo, Peter. Prefiero… que sea así. No quiero ningún médico.

Volvió a desmayarse. Quise zarandearla, por una parte para hacerla volver en sí, y por otra por lo enojado que estaba con ella por lo que me acababa de decir. No me cabía en la cabeza.

Unas lágrimas cálidas me rodaron por las mejillas

—Annie —susurré mientras se me escurría de las manos, sintiendo que el peso de su cuerpo nos arrastraba río abajo, como si el agua intentara llevársela.

Sabía a lo que se refería, pero prefería enfrentarme a una docena de pumas antes que oírselo decir. Que tener que presenciarlo con mis propios ojos.

Annie quería que la dejara morir. Creía que de algún modo era una forma mejor, y mucho más rápida, de abandonar este mundo que irse depauperando poco a poco con el tratamiento para el cáncer.

En otra ocasión en la que me había contado cómo se sentía, la había entendido en cierto modo. Annie quería decidirlo por sí misma. Y contaba con que yo le ayudaría.

Le había dicho que lo haría. Pero al verla morir en mis brazos, supe que estaba equivocada. Muy equivocada.

No era mejor para ella morir. No podía serlo. La luz en el valle estaba menguando, los sonidos eran ahora monótonos y molestos en lugar de mágicos. El hormigueo que siempre había sentido bajo mi piel cuando estaba con ella —creando arte, jugando, siendo yo simplemente— se había esfumado y silenciado.

El valle nunca sería tan mágico como cuando Annie lo visitaba. El mundo entero estaría incompleto… sin ella.

No me podía imaginar vivir el resto de mi vida pensando que Annie ya no estaría en algún lado. Aunque fuera distinta, incluso habiendo cambiado, desplazándose en silla de ruedas, o sin poder hablar, o sin recordar cómo se hacen las cosas…, sin acordarse de mí. Todo esto no me importaba.

Era mi amiga, mi amiga del alma. La única que me había visto tal como yo era, que me había escuchado.

No podría perdonármelo nunca si la dejaba morir ahora.

Tal vez no quisiera volver a ser mi amiga nunca más. A lo mejor me odiaría el resto de su vida por no dejarle tomar su decisión. Pero tenía que hacerlo. Debía romper la promesa que le había hecho la noche anterior.

La amaba demasiado para dejarla ir.

Pero ¿qué podía hacer? No podía dejarla sola, ni correr a buscar ayuda.

La respuesta se me ocurrió enseguida: el valle.

—Ayúdame —musité—. Ayúdame, te lo ruego —le supliqué abrazando a Annie, presionando la camiseta mojada contra su herida, pegando su cabeza a mi pecho, sintiendo el agua fría volverse más fría aún al levantarse de golpe una ráfaga de viento.

—¡Ayúdame! —le pedí de nuevo, más alto esta vez.

El viento del valle, agriándose, me escupió arenilla y hojas a la cara. *Tengo que hacerlo,* pensé, y entonces lo dije en voz alta.

—¡Tengo que hacerlo! —exclamé recordando lo que le había prometido al valle, que me mantendría en silencio. Que nunca lo estropearía ni lo llenaría de barullo.

Pero Annie se estaba muriendo y yo era el único que podía salvarla. Tenía que romper todas mis promesas. Por más que me doliera.

Le rogué al valle que no me mandara un puma, o un jabalí, o un alud de rocas. Le rogué que me entendiera.

Le rogué —deseándolo con toda el alma— que me ayudara. No me quedaba más remedio que hacer ruido. Un ruido ensordecedor.

Un ruido más fragoroso que un trueno, que una avalancha, que un millar de halcones graznando al unísono.

—¡Ayúdame! —grité. Pensé en la batería de papá, en la guitarra de Laura, en los chillidos de Carlie, en los gritos de mamá, y me llené de todos esos sonidos. Me llené de barullo, de alboroto, de dolor—. ¡Ayúdame! —grité de nuevo, y el mundo pareció devolverme las palabras en un eco resonando alrededor del claro.

—¡Ayúdame! —chillé dejando que las palabras retumbaran en mi cabeza y en el valle, haciendo más ruido en este lugar mágico del que nunca había estado dispuesto a hacer, más ruido del que nunca me hubiera imaginado producir.

Mi voz fue volviéndose más y más fuerte, más llena, rica y profunda, resonando una y otra vez hasta que el valle se llenó de esta palabra. Hasta que los tímpanos me dolieron por el estruendo.

La palabra no dejó de sonar, durante un millar de latidos, arrastrada por el viento. El valle me estaba ayudando. Mi voz se había vuelto tan inmensa como el cielo.

Pero no bastaba. No obtuve ninguna respuesta. A Annie se le relajó de golpe la cara, los brazos le cayeron desmadejados al suelo, dejó de revolverse.

Era demasiado tarde.

Su respiración se volvió más débil e irregular, como una semilla de diente de león trabada en una manga. Su cuerpo pareció marchitarse, deslucirse, como un lirio de lluvia cortado que estuviera empezando a languidecer.

Ella estaba a punto de apagarse. La luz del valle, siguiendo a la de Annie, nos envolvió en la penumbra.

Y cuando la oscuridad era casi absoluta, la ayuda llegó en forma de rugido de motor y de esplendor de color rojo fuego.

Capítulo 29

—¡Vaya, no tiene buena pinta! —oí a alguien decir al apagarse el motor. Era la mujer del Coronel.

Parecía un ángel, si los ángeles tuvieran más años que Matusalén, el pelo encrespado y un aspecto tan fiero como un puma.

No tenía idea de cómo, pero la loca señora Empson se las había apañado para bajar por la ladera de la colina, cruzar el valle y bordear el lecho del arroyo con el *kart.*

—¿Quieres que te eche una mano? —dijo con rapidez en voz baja.

—¡Gracias! —respondí en un susurro, sintiendo que las manos me empezaban a temblar, como si ahora que había alguien con entereza pudiera yo por fin venirme abajo. No quise mirar a Annie, no podía soportar la idea de que ya estuviera muerta.

—¿Crees que puedes sostenerla en el regazo y seguir presionándole la cabeza con la camiseta? —dijo vadeando el riachuelo.

La mujer de Coronel levantó a Annie lentamente mientras yo seguía presionándole la brecha con la camiseta. Cuando la metíamos en el *kart,* resbalé, pero la herida ya no volvió a sangrar.

No estaba seguro de si era una buena señal o no. A lo mejor significaba que apenas le quedaba ya sangre en las venas.

Me miré los pies, iba descalzo, me había sacado las botas después de nuestra batalla en el barro. De pronto advertí que la señora Empson también iba descalza.

—No he tenido tiempo de vestirme —me contó al ver que le miraba los pies, mientras recostaba a Annie en mi regazo y nos ataba el cinturón de seguridad—. Cuando hacía la siesta, durmiendo a pierna suelta, el viento me trajo tu voz colándose por la ventana de la cocina.

—¿Me ha podido oír desde su casa? —dije sin podérmelo creer.

Estábamos a kilómetros de distancia de donde la anciana vivía, pero entonces recordé el viento y los extraños ecos resonando a lo lejos. ¡El valle lo había hecho por mí!

Ella asintió con la cabeza.

—Estoy segura de que todo bicho viviente del Condado de Hays te ha oído, chico. Sonaba como si todos estuviéramos en un bidón de aceite contigo. Nunca antes había oído un sonido tan ensordecedor —afirmó poniendo en marcha el motor—. No sabía que fueras capaz de gritar tan alto.

—Yo tampoco —respondí notando que me había quedado ronco. Era la primera vez que me parecía haber alzado demasiado la voz. Me quedé mirando la cabeza de Annie, la camiseta manchada de sangre. Supongo que había gritado lo bastante alto.

Pegué mi cara a la suya. Sentí su aliento, apenas un hilo de aire. Todavía seguía en este mundo.

Gracias, susurré contra su piel. No estaba seguro de a quién se las estaba dando, pero necesitaba decirlo.

La señora Empson nos llevó, tras cruzar el valle, a una colina más baja. Al otro lado se alzaba una casa que nunca había visto antes. Una mujer alta de pelo gris salió a recibirnos.

—¡Edgar! Ve a buscar las llaves —gritó—. Aquí fuera hay alguien que está herido.

En cuestión de minutos Annie viajaba en un camión con la señora Empson y el hombre que lo conducía hacia la sala de urgencias del hospital. La mujer alta mientras tanto me llevó al baño para que me lavara y se puso a hacer las llamadas telefónicas necesarias. Primero llamó al campamento y luego habló con la madre de Annie. La oí llorar por el auricular y la sala de estar de lo desesperada que estaba.

—¿Cuál es tu número de teléfono, Peter? —me preguntó ella—. Voy a llamar también a tus padres para que te vengan a buscar.

Llegaron en quince minutos, los dos, y por primera vez en toda mi vida estaban callados. Ninguno de ellos abrió la boca, no dijeron una sola palabra de vuelta a casa. Pero el espeso silencio no era reconfortante ni tranquilizador.

Era un silencio que no presagiaba nada bueno.

—Ya hablaremos por la noche —me dijo mamá con voz ronca, y al bajarnos del coche le miré de refilón la cara. La tenía enrojecida, como si se la hubiera restregado. Se había dado una panzada de llorar.

Cogió con manos temblorosas el monedero del asiento del copiloto, y papá no despegó la mano de su hombro, como si intentara impedir que se derrumbara.

Mi padre ni siquiera me miró. Ni una sola vez. Pero su mandíbula no paró de moverse, como si quisiera decirme algo, pero temiera las palabras que le iban a salir de la boca.

Esperó a que yo echara la camiseta ensangrentada en la cesta de la colada.

—Quédate ahí —me ordenó señalando con el dedo mi habitación—. Quédate… —añadió furioso sin terminar la frase, rechinándole los dientes.

Tras entrar en la habitación, me tendí en la cama, pensando en Annie. Esperando que se fuera a poner bien. Preguntándome si me perdonaría algún día por haber pedido ayuda.

Sabiendo que nunca me lo habría perdonado a mí mismo de no haberlo hecho.

Deseando haber tenido el valor de subir al acantilado y plantarle un puñetazo en la cara a Doug antes de darle tiempo a agarrar la piedra.

Pero ¿a quién estaba yo intentando engañar? Hacía falta tener agallas para algo así. Durante toda mi vida no había hecho más que huir. Lo único que sabía hacer era evadirme de los problemas. Y ahora me había metido hasta el cuello en uno del que no sabía cómo salir.

Oí a alguien llamar a la puerta.

—Entra —dije.

Laura estaba plantada en el umbral con un bocadillo envuelto con una servilleta en la mano. Me rugió el estómago, apenas había comido en dos días y la mantequilla de cacahuete olía deliciosamente.

—Gracias —dije cuando ella me lo arrojó en la cama—. ¿Está bien mamá? —pregunté tras pegarle un mordisco al bocadillo.

Laura tenía también la cara irritada y enrojecida, sobre todo alrededor de los ojos. Había estado llorando a mares.

—¿Estás bien? —le susurré. Ella dejó escapar un sollozo—. Lo siento. No era mi intención…

—No finjas que te importa alguien más aparte de ti —me interrumpió, y luego se largó dando un portazo.

Escuché esperando que empezara el ruido habitual que me producía dolor de cabeza, pero por primera vez desde que tenía uso de razón mi casa estaba silenciosa. Oí a Carlie llorar y quise salir a ver qué le pasaba, pero papá me había ordenado que me quedara en la habitación. Y me quedé en ella.

A la hora de cenar me noté un nudo en el estómago. Había aprendido algo nuevo: la culpabilidad tenía un sabor. Sabía a bilis, serrín, y mantequilla de cacahuete rancia. Lo notaba por toda mi boca.

Cuando papá me fue a buscar, todos estaban ya sentados a la mesa. Carlie se hallaba en el regazo de mamá con la cara vuelta hacia su hombro, como si tuviera miedo.

Aparté la silla y me senté. Me sentí como si me encontrara ante un grupo de verdugos.

Me sentí como si me mereciera ir al paredón.

—Muy bien —dijo papá a los pocos minutos—. Somos todo oídos.

No sabía qué decir. Ni por dónde empezar. Esperé un segundo, intentando encontrar las palabras que les hicieran entender por qué me había fugado con Annie.

Como de costumbre, no fue necesario que me esforzara en encontrarlas. Supongo que mi silencio fue para mamá la gota que rebasó el vaso.

Se puso a llorar y, después de un rato, a gritar, y papá también empezó a chillar, rodeándola con el brazo. Ni siquiera pillé ninguna de las palabras que me soltaron, eran incomprensibles.

Incomprensibles. Una palabra como las que Annie habría usado. Larga, complicada, tenía más que ver con los sonidos que uno emitía que con el significado.

Como mi familia.

Volví a pensar en Annie, en cómo iba a afrontar algo mil veces más horrendo que una pareja de padres enfurecidos. Deseé poder ser tan valiente como quería que ella fuera.

Deseé que se me hubiera pegado una parte de Annie. Que me hubiera transformado. Pero seguía siendo yo. El mayor cobarde del mundo. Y de pronto me vino a la cabeza el siniestro pensamiento que me había estado acosando el último año.

Sería más fácil si desapareciera de este mundo. Si me diera por vencido.

Si muriera.

No. Sentí algo revolverse dentro de mí, en mi mente, en mi corazón. Le había prometido a Annie que nunca pensaría siquiera en ello. Y no iba a romper mi promesa.

—No —susurré, y me pareció como si la voz de Annie también estuviera ahí, resonando con la mía. A lo mejor me había transformado.

La boca se me abrió por sí sola, como si mi cuerpo me estuviera intentando ayudar. Mis pies se movieron bajo la mesa. De pronto supe lo que tenía que decir. Lo que no sabía era si tendría el valor de decirlo.

Me levanté, pausadamente, y alcé una mano. Se callaron de sopetón, como por arte de magia.

—No puedo deciros lo que queréis oír —afirmé esperando que lo entendieran, ya que a mi manera les estaba respondiendo—. No puedo. Dejé de hacerlo hace mucho —añadí tomando aire, viendo que por fin me escuchaban—. También dejé de creer en mí. Hace un tiempo. Desde que escribí sobre… morir.

—Pero te alejamos de todo eso, de ellos —dijo mamá a los pocos segundos, una docena de latidos—. De esos chicos que te estaban haciendo daño…

Alcé la mano de nuevo.

—Sí —repuse lentamente—. Pero ellos no eran la razón por la que quería… desaparecer. Por la que pensaba en… desaparecer.

Tomé aire otra vez, con el miedo llenándome el pecho.

—*Vosotros* eráis la razón.

—¿Por qué? —dijo mamá horrorizada, y luego enmudeció. Nadie abrió la boca.

La mano me temblaba tanto que la vi agitarse. Doblé mis dedos temblorosos y proseguí.

—Estuve pensando durante meses cómo hacéroslo ver…, en la forma de mostrároslo. Pero vosotros nunca estabais lo bastante silenciosos como para que yo os dijera lo que pensaba. Nadie me escuchaba. Y ni siquiera puedo pensar cuando estoy aquí.

—¿Aquí? —dijo papá con una voz temblorosa y extraña. ¿Te refieres a tu casa?

Asentí con la cabeza.

—A vuestro lado. Es el ruido. Ni siquiera recuerdo cuándo empezó todo. Pero al cabo de poco desaparecer me pareció la mejor...

—Pero ¿de qué estás hablando? —terció Laura—. ¿Qué te hemos hecho para que pienses esas cosas? ¿Para que te fugues? ¡Y encima con una desconocida! —añadió con una voz ronca, como la de mamá. Rompió a llorar otra vez. Creí que volvería a ponerse a gritar como de costumbre, pero mamá le puso la mano en el brazo y un dedo en los labios.

—¡Shhh!

Y mi hermana se calló.

—De acuerdo —dijo Laura hipando y sorbiendo por la nariz, con la mirada posada en la mesa. Te escucho.

—Me fugué con Annie porque *me escuchaba.* Creía que yo era especial. De una manera positiva, claro —les conté, sonriéndole a Laura. Ella no me devolvió la sonrisa—. Entendió quién soy desde la primera vez que nos conocimos.

—¿Más que tu familia? —preguntó papá.

Sus palabras quedaron flotando pesadamente en el comedor, como si cada una estuviera amarrada a una piedra que se desplomara contra mi garganta. Cerré los ojos para responderle, no le podía mirar a la cara.

—Campamentos. Kárate. Hablar en público. Fútbol americano. Cada vez que me obligabas a hacer esas cosas, en contra de mi voluntad, era como si me gritaras: «¡No vales lo bastante, Peter!» Me dolía más que cualquier paliza que me dieran. He sabido toda mi vida que yo no era quien tú querías que fuera. Sabía que nunca lo llegaría a ser.

—Peter, me has malinterpretado —dijo papá con una voz como si se hubiera tragado cristales—. Nunca quise hacerte daño. Nunca supe qué podía hacer para ayudarte… —añadió, apagándosele la voz, tragó saliva—. Te quiero, hijo. Solo quería lo mejor para ti.

—Lo que tú creías que era lo mejor —dije mirándole a los ojos—. Lo que a ti te habría hecho sentir mejor en cuanto a mí. No lo que en verdad necesitaba.

Luché para desprenderme del resentimiento atascado en mi garganta, de mis dolorosos recuerdos.

—Annie me escuchaba, papá. Ella no intentaba cambiarme en quien quería que fuera, como… como tú. Pensaba que ya valía lo bastante. Tal como soy. Por quien soy. Me hizo sentir como si fuera valioso. Nunca antes me había sentido así.

Mi madre se deshizo en lágrimas silenciosas, haciéndome sentir como si una mano me estrujara el corazón.

—Mamá, lo siento. No quería…

—No —repuso ella—. No pasa nada. Te estoy escuchando ahora. Te estamos escuchando, hijo. Sigue hablando.

No podía seguir haciéndolo. Cada palabra me pesaba como una losa. Pero tenía que intentarlo.

—La primera vez que me largué de casa descubrí un lugar donde me sentí feliz por primera vez en años, más que feliz. Este valle. Es… —dije deteniéndome—. No puedo explicarlo. Cuando estoy en él, soy yo mismo.

Carlie se bajó de la trona y se dirigió con pasos inseguros hacia mi pierna, aunque sin hacer nada de ruido. Estaba callada. Se me ocurrió una idea.

—¿Puedo enseñarte quién soy, papá? —le pregunté.

Era lo que él le había dicho a mi madre unas pocas noches antes, mientras se peleaban. Mi padre lo recordó, lo noté. Al igual que mamá. Ahora ella lloraba con más fuerza y estaba como encogida, replegada en sí misma como un lirio de lluvia mustio. Papá susurró su nombre como una pregunta —«¿Maxine?»— y ella sacudió la cabeza, sin alzar la vista.

Me quedé mirando a los ojos a papá. Por primera vez hasta donde me alcanzaba la memoria me miraba como si estuviera viendo algo que valiera la pena advertir. Como si me viera a mí realmente, en lugar de una copia defectuosa de sí mismo.

—Os lo ruego. ¿Os puedo enseñar a todos quién soy?

Me quedé sin palabras. Había hablado más en los últimos diez minutos de lo que lo había hecho en los últimos diez meses. Esperé.

Al principio nadie decía nada. Pero a los pocos segundos todos asintieron, salvo Carlie, que alzó las manitas susurrando «¡Peep!»

—La cogí en brazos y llevé a mi familia al lugar que había decidido que nunca les dejaría ver. El lugar que estaba seguro que estropearían en cuanto pusieran los pies en él.

Cuando llegamos, se levantó un vientecillo, la brisa regular que soplaba siempre del valle para recibirme. En esta ocasión me rozó la cara a modo de pregunta.

Contuve el aliento, esperando que mi familia lo escuchara y lo sintiera como yo lo hacía. Esperando contra toda esperanza que entendieran lo que intentaba mostrarles.

Carlie se movió y se arrimó a mi pecho.

—*Duz* —dijo.

—Ya falta poquito —le susurré.

La luz estaba empezando a declinar y sabía que las luciérnagas saldrían dentro de una hora. Si conseguía que se quedaran conmigo ese tiempo…

—¿Qué tenemos que hacer? —musitó mamá acercándose a mí.

Ahora ella respiraba pausadamente y vi que su aliento acompasado contra mi pelo me recordaba el viento en el valle, la forma en que me había rozado cuando Annie y yo habíamos estado haciendo arte.

—Escuchad sin más —dije—. Y manteneos callados.

—¿Durante cuánto tiempo? —susurró papá con la mano posada en mi hombro.

No le respondí, simplemente inhalé en silencio. Laura se sentó junto a mis pies, contemplando el valle. El sol se estaba deslizando por la cresta de las colinas y en el cielo los magentas y anaranjados del atardecer empezaban a cambiar en los azules amoratados del crepúsculo.

—¡Qué bello es! —exclamó Laura.

—¡Shhh! —dijo Carlie llevándose el dedo a los labios.

Jamás me habría imaginado que pudieran hacerlo, pero lo hicieron. Toda mi familia se quedó quieta como estatuas, casi tan inmóviles como yo. Contemplamos el viento empezar a soplar por el valle, agitando las ramas de los árboles como briznas de hierba. De pronto cambió de dirección soplando sobre el valle a nuestros pies, indeciso.

Pero nadie se movió, nadie abrió la boca. Entonces Carlie señaló hacia arriba con su dedo regordete.

Era como si un director de orquesta hubiera levantado la batuta. Al bajar el brazo, el coro de ranas empezó a croar a nuestro alrededor, con sus cantos resonando a lo lejos, hasta parecer que hubiera un millón de batracios cantando. Un remolino rugió al otro lado de la colina y otro le respondió en la distancia, poniendo con sus mutuos rugidos el contrapunto al croar de las ranas.

Una lechuza se puso a ulular, e inexplicablemente me llegó a los oídos el murmullo del agua lamiendo las piedras de la Laguna Bonita, llamándome.

Sacudí la cabeza. Mi madre había rodeado con su mano la mía y ahora la sostenía con fuerza, como si temiera que la brisa se la llevara. Miré de refilón su cara, que le brillaba por las lágrimas…, pero sonreía con una expresión de felicidad que nunca antes le había visto.

Y papá sonreía a su lado. También estaban agarrados de la mano. Hacía años que no lo hacían.

La noche se transformó en música, con lechuzas y cada vez más chotacabras añadiendo sus notas al coro… y de pronto empezó el espectáculo luminoso.

El valle quiso desplegar toda su grandeza. Creía haber visto un montón de luciérnagas antes con Annie. Pero ahora el valle entero cobró vida, cubriéndose de luciérnagas parpadeando y girando como constelaciones a nuestros pies, emulando las reales que habían empezado a aparecer en el cielo.

—*Duz* —susurró Carlie señalando la hondonada con el dedito—. *Duz.*

Las luciérnagas se alzaron danzando del fondo del valle en espirales inmensas, en cintas ondeantes de luz. Por un momento casi creí que las cintas formaban el nombre de Annie, pero de pronto las libélulas llegaron adonde estábamos, rodeándonos. Se posaron centelleando como gemas de luz en mí —y también en Carlie, mamá, papá y Laura— hasta quedar los cuatro brillando y titilando.

Como si nosotros también fuéramos estrellas, trazas de polvo de estrellas que hubiéramos caído a la tierra.

—¡Es mágico! —exclamó Laura suspirando embelesada.

—Sí —respondí.

—Es música. La más hermosa… ¿Siempre es así al anochecer? —preguntó papá moviendo apenas los labios, con la cara iluminada por una corona de luciérnagas.

—A veces —dije lo más bajo posible, recordando la jabalina, el ciervo, las semillas de diente de león en el pelo de Annie—, a veces es incluso más mágico todavía. Cuando permaneces en una gran quietud.

Noté la mano de papá en mi hombro. Laura tenía la cabeza apoyada contra mis piernas. Mamá me rodeaba la espalda con un brazo, y seguía con la otra mano alrededor de la mía, y Carlie estaba pegada a mi pecho con su cuerpo cálido y suave, y de pronto, por primera vez en toda mi vida, supe que estaba en casa.

En mi verdadera casa.

Había pedido un montón de deseos, sobre todo poder estar solo, ser yo mismo. Pero eso no era lo que necesitaba, o al menos me faltaba una cosa más. En el fondo también necesitaba estar rodeado de mi familia, escuchando conmigo. Escuchándome a mí.

Sabiendo quién era yo y queriéndome tal como era.

Estaba dispuesto a aguantar mil horas de baterías y guitarras por un instante como este.

Se lo tenía que decir. Cuando lo hice, papá dejó escapar un sollozo quebrado.

—¡Oh, Peter! ¿Qué te he hecho?

Nunca le había oído hablar con una voz tan cargada de tristeza.

—Lo siento —dije en un hilo de voz.

Mientras tanto las luciérnagas echaron a volar en masa en una nube gigantesca, dando vueltas en lo alto y luego descendieron al fondo del valle, un manto de luz que se dispersó antes de tocar la tierra a nuestros pies.

—No —dijo mamá tirando de papá para que se arrimara a ella y haciéndome girar para que les mirara—. Lo sentimos. No teníamos idea. No teníamos idea de que esto fuera incluso posible. Es precioso.

Me estrechó entre sus brazos, estrujando a Carlie en medio de ambos, y ella se quejó lastimeramente.

—¿Mamá *duz*?

—Sí —susurró mamá—. Volveremos mañana y repetiremos

la experiencia. Siempre que Peter quiera que vengamos con él. ¿Te parece bien?

—Perfecto —repuse agarrándola y sintiendo a papá rodearnos a todos con sus brazos. Era un deseo hecho realidad.

Fue mejor que cualquier cosa que hubiera deseado nunca. Mi vida iba a ser a partir de ahora mejor de lo que jamás había soñado, mejor de lo que nunca había sido, salvo los días que pasé en el valle con Annie.

Annie.

Qué lástima que no pudiera estar en silencio conmigo. En silencio en el valle. En silencio incluso en el mundo. En silencio... Annie.

El cielo empezó a oscurecer como una lámpara gigantesca bajando de intensidad y supe que todo me iría bien. Ya no me escaparía de nuevo de casa, no era necesario. Pero nunca volvería a ser tan feliz como lo había sido. Era cierto que en mi hogar todo había cambiado, ahora era perfecto, pero Annie se había ido.

Y por más que lo deseara, no la haría volver.

Capítulo 30

Me pasé el resto del verano haciendo mermelada de uva verde con la señora Empson, enseñando a Carlie a estar lo bastante quieta como para que los conejos se acercaran y comieran en su regazo, y abrazando a mamá diez mil veces. Supongo que todavía le preocupaba que yo volviera a desaparecer. Pero ya no quería largarme de casa, al menos más allá del valle. Tenía todo cuanto deseaba en la vida. Una amiga, si es que la loca señora Empson contaba como una (para mí lo era), una familia y, ahora que papá se había preocupado de insonorizar las paredes del estudio de música, incluso gozaba de la suficiente tranquilidad para poder pensar a mis anchas.

Lo tenía todo, salvo a Annie.

Había intentado localizarla. Papá incluso me había ayudado y todo. Habíamos llamado al centro oncológico MD Anderson, pero no nos quisieron dar ninguna información, salvo que Annie había sido una paciente en él. Le envié una carta con fotos del arte que había hecho en el valle un mes antes de empezar el colegio. Intenté hacer arte de verdad, como Annie diría, pero no era lo mismo. Era como si el valle estuviera dormido después de aquella última noche en la que había hecho gala de toda su grandeza ante mi familia. Aquella noche Annie se había ido.

Tal vez se había llevado la magia consigo. A lo mejor había sido Annie la que había traído la magia al lugar.

Quizás era una auténtica chica de los deseos después de todo.

Con todo lo intenté. Creé formas con parras cortadas y esperé a que anocheciera para que salieran las luciérnagas. Fotografié las pocas que pude engatusar para que se posaran con sus cuerpos luminosos en las vides. Mi foto favorita era la de las parras entrelazadas en forma de lirio de lluvia.

No me atrevería a llamar a mi arte *transformador*, pero creo que a Annie le habría gustado. Seguramente ella lo llamaría *evocador* o *fenomenológico* o con alguna otra palabra que yo no había oído nunca.

Si es que Annie recordaba esta clase de palabras.

Me lo estuve preguntando durante mucho tiempo. Me pregunté si se recuperaría. Si se habría sometido al tratamiento. Si todavía había una parte de Annie en el mundo o si lo único que quedaba de ella era lo que atesoraba en mi corazón.

Pero en él había por supuesto montones de Annie. Mi corazón estaba lleno de ella, de los recuerdos de esa semana, a veces hasta sentía como si estuviera literalmente en él. Como cuando visitaba el valle o me sentaba junto a la Laguna Bonita. Incluso cuando vi a Doug y Jake —desde lejos, porque la policía había tenido una charla con ambos y con sus padres acerca de que yo podía presentar cargos contra ellos o algo parecido si lo deseaba—, pensé en Annie y en cómo se había convertido en la amiga que no sabía que necesitaba.

La que creía que yo era fantástico tal como era. Único. Fenomenal.

Cada día deseaba con toda mi alma que volviera. Pero ahora mis deseos nunca se cumplían. Annie se había esfumado llevándose la magia consigo.

Y de pronto un día de principios de otoño llegó una carta.

No era una carta escrita exactamente, sino un dibujo en una hoja de papel en la que ponía «Hospital Infantil de San Judas» en la parte de arriba.

¡Quién sabe!, pero creí… creí que el dibujo representaba a una persona cubierta de caballitos del diablo, una chica con pedacitos de reluciente pelo rojo asomando por entre las alas de los insectos.

Y en la parte de abajo, a modo de título, aparecían cinco palabras. Las letras se veían apretujadas y costaban de leer. Pero estaba seguro de que ponía: *Chica de los Deseos, transformada.*

El corazón me dio un vuelco y tuve que contenerme para no ponerme a gritar como un loco. Pegándome la carta al pecho, fui corriendo como un gamo hasta el borde del valle. Y entonces sostuve la hoja de papel ante mí, sonriendo de oreja a oreja de pura alegría.

—¡Mira! —le dije al valle—, ¡mira! Está viva.

Annie estaba viva. Y seguía creando arte.

Y además se acordaba de mí.

Y de pronto lo supe. Algún día ella volvería. Lo sabía, al igual que sabía estar en quietud, en silencio, escuchar. Annie regresaría al valle y correríamos de nuevo por entre las mullidas matas espinosas, más allá de las serpientes dormitando, al otro lado de los prados de fósiles y de flores, bordeando arroyos con un agua más limpia y pura que la lluvia, seguidos por enjambres de libélulas y gorriones, de mariposas y luciérnagas jugueteando en el cielo. Annie volvería con nosotros y todos nos transformaríamos una y otra vez.

Lo sabía. Pero para asegurarme, dije las palabras en voz alta: «Deseo que Annie vuelva».

La brisa se alzó a lo lejos por entre las ramas, agitando la maleza y los árboles en el fondo del valle, y creando alrededor de la hondonada unas extrañas ondas verdes con vida propia mientras se acercaba velozmente a mí, a mis oídos, para responderme.

Sí.

Agradecimientos

En mi infancia pasaba los veranos en un valle rodeado de colinas de Texas que para mí era mágico. Muchos momentos de este libro están sacados de aquellos recuerdos, y le doy las gracias a mi hermana, Lari Rogge, y a mi madre, Rae Dollard, por haberme ayudado a reunir los fósiles en los que se basa esta novela.

Quiero darle en especial las gracias a Tara Adams, enfermera oncológica, superviviente de una leucemia y amiga mía. Gracias por leer el manuscrito, animarme y responder a mis interminables preguntas sobre la obra y la experiencia. Gracias a ti he conocido la información médica sobre esta enfermedad. Y por supuesto cualquier error al respecto es mío y de nadie más. Doy las gracias a mi hermano, el doctor Ryan Loftin, por ayudarme al principio *y* en la última etapa a generar ideas. Eres el mejor hermano que ha existido jamás.

April Coldsmith me ha ayudado generosamente a comprender algunas de las formas en que la leucemia infantil afecta la conducta de los padres y la personalidad del niño que la ha superado. Aunque ojalá no hubieras tenido esta experiencia, April, te agradezco mucho que la hayas compartido.

Mis amigas escritoras me llenan la vida de magia. Doy las gracias en especial a Shelli Cornelison, Shana Burg, Shellie Faught y Diane Collier por sus críticas y ánimos, y a Suzie Townsend, Danielle Barthel y a toda la plantilla de la New Leaf Literary por todo ello y mucho más.

Gillian Levinson tiene la capacidad de leer y escuchar realmente lo que quiero decir, incluso sin estar impreso aún en una página. Gracias, Gillian, por tus dotes como editora y tu amistad, y también le agradezco al increíble equipo de Razorbill por haberme concedido mi deseo.

Y, como siempre, mi amor y mi gratitud son para mis propios deseos hechos realidad: Dave, Cameron y Drew.